Scientific and Technical
GERMAN READER

Scientific and Technical
GERMAN READER

Howard H. Hirschhorn
Miami-Dade Junior College

THE ODYSSEY PRESS   New York

A 0 9 8 7 6 5 4 3 2

Library of Congress Catalog Card Number: 64-15006

PREFACE

The selections included in this reader are from German-language publications and are meant to supply the terminology needed not only by scientists and students concerned with particular fields or academic disciplines, but also by the well-informed layman who would be prepared to comprehend, in German, the world about him, and to communicate ideas and concepts requiring more or less precise nomenclature—whether or not strictly in scientific or "technical" context.

The word "technical" is employed here to mean the vocabulary and expression of a particular branch of knowledge or endeavor, and does not especially imply "technological" in all cases.

This reader is designed (1) to supply reading material for college students in a scientific and technical German reading course on a second or third year level, and (2) to provide supplemental reading for intermediate college German.

It is intended that the selections be presented in conjunction with classroom instruction and guidance. Therefore, no grammatical explanation has been included. There has been an effort, however, to indicate in the vocabulary the irregular verb forms as they appear in the text, along with the corresponding infinitives.

The infinitive is also given for words derived from verbs, except in some cases where the derived words are very common. For example, *weitgehend, entsprechend, beheimatet, unverändert.* But *auffallen* and not *auffallend.*

The component parts of the *Wortzusammensetzungen* (word compounds) are brought to the student's attention as follows:

1. When a compound can be logically and directly explained by breaking it up into its parts, the vocabulary gives only these parts. For example, where *die Eiablage* appears in the text, the vocabulary gives **das Ei/die Ablage** egg / deposition, laying.

2. When the key word of the compound indicates the meaning,

the vocabulary gives the whole compound as well as the key word. For example, where *das Hauptnahrungsmittel* appears in the text, the vocabulary gives **das Hauptnahrungsmittel / die Nahrung** staple food item / food, nourishment.

3. When a compound cannot be explained directly by translating each part of it by a corresponding word in English, the vocabulary gives the translation of the whole compound, plus the parts with their individual translations. For example, where *der Völkerzug* appears in the text, the vocabulary gives **der Völkerzug** (**das Volk / der Zug**) migration (people / procession, march).

In this way, it is hoped that the vocabulary can be expanded beyond the given forms as well as to be related to already known ones.

The selections are unabridged and have been taken from German-language publications of Austria, Germany and Switzerland. Many of the articles cover more than one field of knowledge; interdisciplinary material appears, for example, in the articles *Medical Climatology, Military Medical Service, Austrian Defense, Natural Science Methods Used in Ethnology, The Chemistry of Wine-Making, Origin and Production of Colors, General Considerations.* The areas represented include the physical, earth, biological or life, social and political sciences, military science, and industrial arts. The selections may be read in any order. The interest and background of each student, or the major interest of the class, will determine the reading order.

At least one year of German study or its equivalent was assumed in the preparation of the German-English vocabulary. There is, however, no intended upper limit of readership since the selections include various topics from professional and specialized literature, and may well be of interest even to advanced students and native speakers of German.

Appreciation is extended for the kind permission given by Austrian, German, and Swiss publishers and authors to reproduce material. See acknowledgements on the first page of each selection.

H. H. H.

CONTENTS

Tabulated Data

Nicht das viele Wissen tut's,
Sondern wissen etwas Gut's

Friedrich von Logau
1604–1655

1

AUSTRIA

der **Kern** / der **Raum** nucleus, heart, center / area
auflösen to dissolve
Ungarn Hungary
anschliessen (**schloss** ... **an** **angeschlossen**) to annex
der **Abschluss** settlement
der **Vertrag** agreement, treaty
der **Abzug** withdrawal
die **Besatzung** occupation, garrison
selbstständig independent
zugleich simultaneously
die **Donau** Danube River
ungefähr approximately
die **Fläche** (surface) area
angehören to belong
die **Ostalpen** East Alps
wirtschaftlich economic
das **Schwergewicht** emphasis, (chief) stress
der **Hügel** hill
durchschnittlich average
die **Bevölkerung** / die **Dichte** population / density
Einw. (der **Einwohner**) inhabitant
je each, per
das **Gebirge** mountain(s)
dagegen on the other hand

gesamt total
nutzbar useful
besiedeln to settle, colonize
das **Becken** basin
ferner moreover, further
der **Fremde** / der **Verkehr** tourist / traffic
den **Umfang erreichen** to reach the proportion (*or* volume)
die **Schweiz** Switzerland
ständig constant(ly)
zunehmen to increase
die **Zahl** number
die **Erholung** / der **Suchende** rest, recreation, recovery / seeker
der **Kurort** health resort
führen to lead, run
die **Hohen Tauern** group of the East Alps
der **Bodenschatz** (der **Boden** / der **Schatz**) mineral wealth (ground / treasure)
besitzen to possess
hochwertig high grade or value
das **Eisen** / das **Erz** iron (Fe) / ore
das **Blei** lead (Pb)
die **Kohle** coal
einführen to import
die **Eigenförderung** domestic production

1

ÖSTERREICH*

Österreich ist der Kernraum der 1919 aufgelösten Habsburger Monarchie Österreich-Ungarn. Die Republik war von 1938 bis 1945 dem Deutschen Reich angeschlossen. Seit Abschluss des Staatsvertrages und dem Abzug der amerikanischen, britischen, französischen und sowjetischen Besatzungstruppen im Jahre 1955 ist Österreich wieder ein selbständiger Staat. Österreich ist zugleich Alpenland und Donauland. Ungefähr 60% seiner Fläche gehören den Ostalpen an. Das wirtschaftliche Schwergewicht liegt jedoch im Hügelland rechts und links der Donau. Bei einer durchschnittlichen Bevölkerungsdichte von 83 Einw. je km² leben im Gebirgsland nur 53, im Hügelland dagegen 130 Einw. je km². In Wien wohnt ein Viertel der Gesamtbevölkerung.

Das Alpenland. Im Gebirge sind nur die landschaftlich nutzbaren Gebiete dichter besiedelt: die Täler des Inn, der Salzach und der Enns, der Drau mit dem Klagenfurter Becken, ferner das Land Voralberg.

Der Fremdenverkehr erreicht im österreichischen Alpen nicht den Umfang wie in der Schweiz. Doch strömt eine ständig zunehmende Zahl von Erholungsuchenden in die Kurorte und die Gebiete des Touristenverkehrs, vor allem nach *Salzburg*, *Tirol* und *Kärnten*. Von *Zell am See* führt die Glockner-Hochalpenstrasse über die Hohen Tauern.

Als wichtigste *Bodenschätze* besitzt Österreich hochwertiges Eisenerz in den Eisenerzer Alpen in der *Steiermark* sowie Bleierz und Magnesit. Kohle muss eingeführt werden, denn die Eigenförderung ist nur sehr gering.

* By kind permission: Aus SEYDLITZ, Teil 4: Deutschland und Europa, 1958, geographisches Unterrichtswerk. Mit freundlicher Genehmigung des Verlages Ferdinand Hirt, Kiel, Bundesrepublik Deutschland. Pp. 118–119.

das Wasserkraftwerk hydroelectric station
liefern to supply
der Ausbau extension, development
benötigen to need
gewaltig powerful, huge
fertigstellen to finish, get ready
das Ausfuhrland export(ing) country
vollziehen; sich vollziehen to accomplish; to take place
der Übergang transition
hügelig hilly
sich herausheben (hob . . . heraus herausgehoben) to rise (up out of)
der Rücken ridge
bergen to contain, conceal
die Braunkohle / das Lager brown coal, lignite / bed, stratum
der Stahl steel
das Motorfahrzeug motor vehicle
das Kugellager ball-bearing
herstellen to produce
liefern to supply
das Viertel quarter (of a city), section
der Ausläufer spur (of mountain range)
der Böhmerwald Bohemian Forest
der Pflasterstein paving stone
hauptsächlich mainly
das Nahrungsmittel foodstuff(s)
versorgen to provide, furnish
trocken dry
der Windschutz / der Streifen windbreak / strip, sector
die Bewässerung irrigation

der Anbau / die Möglichkeit cultivation / possibility
schaffen to make, produce, create
erbohren to obtain by drilling
das Vorkommen occurrence
das Erdöl petroleum
fördern to produce
die Lage position, location
der Durchbruch break-through
von Natur aus naturally, by nature
das Tor gate, portal
bestimmen to determine, destine
dicht close
die Grenze border
zerreissen to rend (into pieces)
einst once
wertvoll valuable
die Beziehung relation, connection
abschneiden (schnitt . . . ab abgeschnitten) to cut off
zahlreich numerous
der Betrieb plant, operation, works
das Gut (die Güter) commodity, goods
die Gebrauchsgüter consumer goods
beheimatet domiciled, located
weitgehend extensively
verstaatlicht nationalized
die Grube mine, pit
die Erzeugung production
die Raffinerie refinery
der Fluss / die Schiffahrt river / navigation
der Besitz possession, property
überführen to convert

Zahlreiche *Wasserkraftwerke* liefern die vor allem für den Ausbau der Industrie benötigte elektrische Energie. Nachdem das gewaltige Tauernkraftwerk Glockner-Kaprun fertiggestellt worden ist, wurde Österreich zu einem der grössten Energieausfuhrländer Europas. 5

Das Donauland. In *Oberösterreich* vollzieht sich der Übergang von den Alpen zum Donauland. Die noch im Gebirge liegenden Seen des *Salzkammerguts* gehören zu den vielbesuchten Gebieten Österreichs. Aus dem hügeligen Alpenvorland hebt sich der Waldrücken des *Hausruck* heraus. Er birgt das wichtigste 10 Braunkohlenlager des Landes. In *Linz* stehen Eisen- und Stahlwerke, in *Steyr* werden Motorfahrzeuge gebaut und Kugellager hergestellt. Nördlich der Donau liefert das Mühlviertel in den Ausläufern des Böhmerwaldes Werk- und Pflastersteine aus Granit. 15

Aus *Niederösterreich* wird hauptsächlich Wien mit Nahrungsmitteln versorgt. Im trockenen Marchfeld werden in neuester Zeit durch Windschutzstreifen und Bewässerungskanäle gute Anbaumöglichkeiten geschaffen. Aus den bei *Zistersdorf* im Marchfeld nördlich von Wien erbohrten Erdölvorkommen 20 förderte man im Jahre 1955 bereits 3,6 Mill. t Erdöl.

Wien ist durch seine Lage am Donaudurchbruch zwischen Alpen und Karpaten von Natur aus zum Tor Mitteleuropas nach den südosteuropäischen Ländern bestimmt. Heute liegt Wien dicht an der Grenze, die Europa zerreisst; seine einst so 25 wertvollen Beziehungen nach dem Südosten sind abgeschnitten.

In Niederösterreich und in Wien leben 43% der österreichischen Bevölkerung. In diesem Teil des Landes, vor allem in Wien, *St. Pölten* und *Wiener Neustadt,* sind zahlreiche Betriebe der Gebrauchsgüterindustrie beheimatet. 30

Österreichs Grosswirtschaft ist weitgehend verstaatlicht. Seit 1946 sind die Eisenerz- und Kohlengruben, die Werke der Eisen- und Stahlerzeugung, Maschinenfabriken, Elektrizitätswerke, Erdölraffinerien, die grossen Banken, die Flussschiffahrt und viele andere Grossbetriebe in Staatsbesitz überführt worden. 35

GERMANY — THE CENTER OF EUROPE

Central Europe

der Raum   area, space, expanse
mittelmeerisch   Mediterranean
auszeichnen   to characterize
der Zusammenklang   harmony, accord
die Grosslandschaft   major landscape type
eiszeitlich   ice-age, glacial
das Tiefland   lowland(s)
das Gebirgsland   hilly or mountainous country
das Stufenland   steppes
wirtschaftlich   economic
der Einfluss   influence
das Mittelalter   Middle Ages
spürbar   perceptible
vertreiben   to expel
besetzen   to occupy

zugleich   at the same time
durchziehen   to traverse
die Trennung   separation, division
der Begriff   concept
dadurch   thereby, through it (or that)
einstig   onetime, former
der Inhalt   content, substance, meaning
das Übergangsland   transition(al) country
bezeichnen   to designate
sich bekennen   to profess (oneself part of)
sich beschränken   to limit, confine itself
das Gebiet   area
die Grenze   border

2

DEUTSCHLAND — DIE MITTE EUROPAS*

Mitteleuropa

Unter Mitteleuropa versteht man naturgeographisch den Raum zwischen dem skandinavischen Norden, dem ozeanischen Westen, dem mittelmeerischen Süden und dem kontinentalen Osten. Es ist ausgezeichnet durch den Zusammenklang dreier Grosslandschaften: des eiszeitlich geschaffenen Tieflandes im Norden, des 5 alten Gebirgs- und Stufenlandes in der Mitte und der hohen Gebirge der Alpen und Karpaten im Süden. Von den hier lebenden germanischen, slawischen, romanischen und magyarischen Völkern ist das deutsche das grösste. Sein kultureller und wirtschaftlicher Einfluss war vom Mittelalter bis in unser Jahr- 10 hundert in allen Teilen Mitteleuropas spürbar. Am Ende des letzten Krieges wurden die Deutschen aus den Ländern des Ostens vertrieben und Teile Ostdeutschlands besetzt. Zugleich kamen Polen, die Tschechoslowakei, Ungarn, Rumänien und Bulgarien unter den politischen und wirtschaftlichen Einfluss 15 Osteuropas. So durchzieht Mitteleuropa eine scharfe Trennungslinie. Der Begriff Mitteleuropa hat dadurch seinen einstigen kulturgeographischen Inhalt verloren. Polen, die Tschechoslowakei, Ungarn, Rumänien und Bulgarien werden als mittel- und südosteuropäische Übergangsländer bezeichnet; im 20 Westen bekennen sich die Niederlande, Belgien und Luxemburg zu Westeuropa. Mitteleuropa beschränkt sich also auf die Alpenländer Schweiz und Österreich und auf Deutschland. Unter Deutschland soll im folgenden das Gebiet des Deutschen Reiches innerhalb der Grenzen von 1937 verstanden werden. 25

* By kind permission: Aus SEYDLITZ, Teil 4: Deutschland und Europa, 1958, geographisches Unterrichtswerk. Mit freundlicher Genehmigung des Verlages Ferdinand Hirt, Kiel, Bundesrepublik Deutschland. Pp. 11–12.

weisen to point
die Halbinsel peninsula
überschreiten to cross
von Natur aus by nature
das Durchgangsland land of transit, bridgehead country
zufallen to devolve on, fall to
die Mittlerrolle role of arbitrator (*or* mediator)
der Grossraum extraterritorial sphere of influence
der Erdteil continent
im Laufe in the course
vordringen (drang . . . vor vorgedrungen) to advance, gain (ground), press (forward)
zahlenmässig numerically
vermögen to be able to
behaupten to maintain, claim
ihrerseits in (their) turn
der Nachbar neighbor
ausbreiten to expand
das Volkstum nationality, natural character
mehrfach several times
verschieben / sich verschieben to shift, displace / to get out of place
der Laubwald deciduous forest
der Nadelwald coniferous forest
das Moor moor, bog, swamp
die Heide heath
die Insel island
bedecken to cover
roden to clear (forest), make arable
die Eiszeit Ice Age, Glacial Period
der Rückzug retreat, withdrawal
einwandern to immigrate
das Vieh / die Zucht cattle / breeding
der Ackerbau agriculture, farming
Ackerbau treibend agricultural
der Stamm tribe

bestellen to cultivate, till
das Ackerland farmland, arable land
erweitern to extend
der Bergwald mountain forest
die Fläche surface
ergiebig productive, fertile
beschränken to limit, restrict
das Zeitalter age
näher heranrücken to approach (toward)
verkehrsgeographisch trade and communication aspect of geography
die Kohle coal
das Erz ore
vorhanden sein to be available, exist
die Grube pit, mine, quarry
der Verlauf course
bedingt caused, determined
die Kammerung partitioning
die Kleinstaaterei particularism, small-state system
begünstigen to favor, promote, encourage
andererseits on the other hand
die Erhaltung preservation, maintenance
die Eigenart individuality, particularity
beitragen to contribute, help
der Fleiss industry, diligence
der Bewohner inhabitant
die Leistung achievement
erringen (errang errungen) earned (through work), won
das Ansehen esteem, respect
die Stellung position
die Grossmacht (great) power
beeinträchtigen to impair, injure, prejudice
vertreiben to expel, drive out
die Not distress, want, need
der Aufstieg ascent, rise

8

Deutschland

Deutschland mit seinen offenen Grenzen im Westen und Osten, mit der nach Norden weisenden Cimbrischen Halbinsel und den an einigen Stellen leicht zu überschreitenden Alpen im Süden, ist von Natur aus ein Durchgangsland. Ihm fällt die natürliche Mittlerrolle zwischen den Grossräumen unseres Erdteiles zu. 5 Im Laufe der Geschichte sind Römer vom Süden, Nomadenvölker aus dem Südosten, Slawen vom Osten, Skandinavier vom Norden und Romanen vom Westen vorgedrungen. Als zahlenmässig grösstes Volk vermochten sich die Deutschen immer wieder zu behaupten; sie haben sich ihrerseits in die 10 Nachbarräume hinein ausgebreitet. Die Grenzen des deutschen Volkstums und Staates haben sich besonders im Westen und Osten mehrfach verschoben.

Deutschland ist seiner Natur nach ein Waldland. Laub- und Nadelwälder, Moor- und Heideinseln würden das Land be- 15 decken, wenn der Mensch nicht gerodet und kultiviert hätte. Schon zur Eiszeit lebten Menschen im mittleren Europa; nach dem Rückzug des Eises wanderten Viehzucht und Ackerbau treibende Stämme ein und bestellten die offenen Landschaften. In germanischer Zeit wurde das Ackerland immer mehr er- 20 weitert. Im Mittelalter rodete man die Bergwälder. Heute ist der Wald auf die Flächen mit weniger ergiebigen Böden beschränkt. Im Industriezeitalter rückte die Mitte Europas verkehrsgeographisch durch den Bau der Eisenbahnen näher an den Ozean heran. Wo Kohle und Erz vorhanden waren, 25 wurden aus ärmlichen Ackerbaulandschaften Industriegebiete mit Gruben, Fabriken und grossen Städten.

Die durch den Verlauf der Gebirge bedingte Kammerung Deutschlands hat die Kleinstaaterei begünstigt, andererseits zur Erhaltung der Eigenarten der deutschen Stämme beigetragen. 30

Das durch den Fleiss seiner Bewohner und die Leistungen seiner Wissenschaftler, Dichter und Musiker errungene Ansehen Deutschlands und seine Stellung als Grossmacht wurden in zwei grossen Kriegen beeinträchtigt. 12 Millionen deutscher Menschen wurden aus Ostdeutschland und den Nachbarländern 35 vertrieben. Nach Jahren bitterster Not hat ein neuer Aufstieg begonnen. Aber das Deutsche Reich der Vorkriegzeit ist in

spalten to split, divide
die Besatzung / die Zone occupation / zone
endgültig final, definite
die Regelung settlement, adjustment
die Verwaltung administration
unterstellen to place under the command (of)
die Gliederung organization, structure
ursprünglich originally
der Verband alliance, society, unit
wesentlich essentially
verändern to change, shift
entstehen to originate
die Auflösung dissolution
stammesmässig tribally, according to lineage
einigermassen to some extent; rather
darstellen to represent

gegenwärtig currently
verbinden (verband verbunden) to connect, unite, join
einnehmen to occupy, take
die Sonderstellung exceptional (*or* special) position
völlig completely
zerschlagen to shatter, smash
der Bezirk district, region
schaffen to create, form
schliesslich finally, definitively
einführen to introduce
der Grundsatz principle, axiom
wählen to elect
die Regierung government, administration, regime
bis auf weiteres until further notice
befugt competent, empowered
Gesamtdeutschland United Germany, all (*or* complete) Germany
vertreten to represent

drei Teile gespalten: Im Westen die Bundesrepublik Deutschland, in der Mitte die Sowjetische Besatzungszone und östlich von Oder und Neisse die deutschen Ostgebiete, die bis zu einer endgültigen Regelung polnischer und sowjetischer Verwaltung unterstellt wurden. 5

Die innere Gliederung Deutschlands — ursprünglich in Stammesverbände, dann in Territorien und Staaten — ist seit 1945 wesentlich verändert worden. Im westlichen Deutschland entstanden durch Auflösung Preussens und durch Untergruppierungen von Staaten und kleineren Gebietsteilen die heutigen acht 10 Länder, die stammesmässig und wirtschaftlich einigermassen geschlossene Einheiten darstellen und zusammen die Bundesrepublik Deutschland bilden. Das Saarland, das gegenwärtig wirtschaftlich mit Frankreich verbunden ist, nimmt eine Sonderstellung ein. In der Mittelzone wurden 1952 die Länder völlig 15 zerschlagen und 14 kleinere „Bezirke" geschaffen, die zentral regiert werden. In den ostdeutschen Gebieten schliesslich haben die Sowjetunion und Polen ihre eigene Verwaltungsgliederung eingeführt.

Innerhalb der Grenzen des Deutschen Reiches von 1937 gibt 20 es heute nur eine einzige in Freiheit und nach demokratischen Grundsätzen gewählte Regierung, die der Bundesrepublik in Bonn. Daher ist bis auf weiteres nur sie befugt, die Interessen Gesamtdeutschlands zu vertreten.

3

COUNTRY, PEOPLE, STATE

German Territory

bestehen aus to consist of
das Tiefland / das Gebiet lowland(s) / area, territory
die Tiefebene low plain, lowland(s)
quer diagonal, across
hindurchziehen (zog . . . hindurch hindurchgezogen) to run or pass through
das Gebirge mountain(s), range
der Berg / die Kette mountain / chain, range
die Hochebene elevated plain, tableland, highland(s)
der Anteil portion
die Insel island
verbunden sein (mit) to be connected (with)
übergleiten to blend over
verschieden various
der Nachbar / der Raum neighbor / area, space
anschliessend adjoining, adjacent
die Schweiz Switzerland
sich weiten to spread out, extend
unermesslich immense, boundless
die Fläche plain
reichen to reach

der Durchgang thoroughfare, transit
die Lage position, location
die Aufgeschlossenheit openness, susceptibility
kennzeichnen to characterize
der Völkerzug (das Volk / der Zug) migration (people / procession, march)
im Laufe in the course
durchqueren to traverse
zahlreich numerous
hinweggehen (ging . . . hinweg hinweggegangen) to take place, pass over
das Kräftespiel (die Kraft / das Spiel) power-play (power, force / play, game)
sich einschalten to mix into, intervene
die fremde Macht foreign power
versuchen to tempt
der Einfluss influence
ausdehnen to extend, expand
sich auswirken to operate, take effect
der Austausch exchange

LAND, VOLK, STAAT*

Das deutsche Land ·

Deutschland in Europa. Deutschland ist das grösste Land Mitteleuropas. Es besteht aus einem Tieflandgebiet im Norden (Norddeutsche Tiefebene), einem sich von Westen nach Osten quer hindurchziehenden Mittelgebirge, einer von mittleren Bergketten durchzogenen Hochebene im Voralpengebiet und einem Anteil 5 an den Alpen. Deutschland ist nach Westen und Osten offen. Im Norden wird es durch eine Land- und Inselbrücke zwischen Nord- und Ostsee mit den nordeuropäischen Ländern verbunden. Im Westen und Süden gleiten die verschiedenen deutschen Landschaften in die Nachbarräume über: die Norddeutsche 10 Tiefebene nach Holland und Flandern, das Mittelgebirge in die Gebirgslandschaften Belgiens und Frankreichs, das Hochgebirge in die anschliessenden Schweizer und österreichischen Alpen. Nach Osten weitet sich der norddeutsche Raum, bis er sich in der unermesslichen Fläche verliert, die von Polen bis an den 15 Ural reicht.

Deutschland als Durchgangsland. Wegen seiner zentralen Lage und geographischen Aufgeschlossenheit ist Deutschland ein Durchgangsland. Daraus erklärt sich auch seine Geschichte. Sie ist gekennzeichnet durch die vielen Völkerzüge, die das 20 Land im Laufe der Jahrhunderte durchquerten, und durch zahlreiche Kriege, die darüber hinweggingen, sobald sich sein Volk in das politische Kräftespiel einschaltete oder fremde Mächte sich versucht fühlten, ihren Einfluss nach der Mitte Europas auszudehnen. Diese Mittellage wirkt sich auch im 25 wirtschaftlichen und kulturellen Austausche aus, denn Deutsch-

* From: Dr. H. J. von Merkatz, Dr. W. Metzner, A. H. Ziegfeld, *Deutschland Taschenbuch.* 1954. P. 1. By kind permission of Alfred Metzner Verlag, Frankfurt am Main.

aufnehmen (nahm . . . auf aufgenommen) to absorb, take up
die Anregung stimulus
die Verbindung communication,
contact
übrig rest of
vermögen to be able

geistig intellectual
die Leistung achievement
Anspruch erheben auf to lay
claim to
die Geltung recognition, respect
umgrenzen to delineate
die Siedlung settlement, colony

land nahm ebenso oft Anregungen und Verbindungen von aussen auf, wie es von sich aus der übrigen Welt das zu geben vermochte, was an geistigen und wirtschaftlichen Leistungen Anspruch auf allgemeine Geltung erheben konnte.

Deutschland ist kein von der Natur gegebener, fest umgrenzter 5 Raum, sondern nur einfach das Siedlungsgebiet der Deutschen.

4

SWITZERLAND

die **Eidgenossenschaft** confederation, league
der **Bundesstaat** (der **Bund** / der **Staat**) federal state (confederation / state)
der **Kanton** canton
die **Hälfte** half
die **Fläche** area
einnehmen ' to occupy
das **Hauptwirtschaftsgebiet** area of chief economic activity
beschränken to limit, restrict
entfallen auf to fall to (the share of)
das **Gebirge** mountains, mountain range
der **Fremde** / der **Verkehr** tourist / traffic
der **Berg** / die **Bahn** mountain / railway
der **Sessel** / der **Lift** chair / lift
zugänglich machen to make accessible
entlangziehen to go (or follow) along

der **Kraftwagen** motor vehicle
der **Ausgangspunkt** (der **Ausgang** / der **Punkt**) starting point (departure / point)
der **Ausflug** excursion
der **Riese** giant
das **Sprachgebiet** linguistic (or language) area
der **Einfluss** influence
bemerkbar machen to make noticeable
der **Ölbaum** (das **Öl** / der **Baum**) olive tree (oil / tree)
aufsuchen to visit, seek (out)
der **Kurort** (health) resort
der **Nebel** / **nebelfrei** fog / fogfree
die **Lage** location
die **Heilstätte** sanatorium
weltberühmt world-famous
darstellen to represent
bedeutend significant, important
das **Aktiv** / der **Posten** asset / item
die **Wirtschaft** economy
der **Hügel** hill

4

DIE SCHWEIZ*

Die Eidgenossenschaft der Schweiz ist ein Bundesstaat von 25
Kantonen. Mehr als die Hälfte der Fläche nimmt das *Alpenland*
ein; das Hauptwirtschaftsgebiet, das *Mittelland*, ist auf ein Drittel
des Landes beschränkt; nur ein Zehntel entfällt auf die dritte
Schweizer Landschaft, den *Jura*.   5
   Die Schweizer Alpen — das klassische Gebirgsland der Welt —
haben den relativ stärksten Fremdenverkehr der Erde. Mehr
als drei Millionen Fremde kommen Jahr für Jahr ins Land.
Zu den meistbesuchten Gebieten gehört das *Berner Oberland*.
Mit Bergbahnen und Sessellifts hat man selbst die grossen Höhen   10
um Jungfrau, Mönch und Eiger den Besuchern leicht zugänglich
gemacht. *Interlaken*, zwischen dem Thuner und dem Brienzer
See, das Fremdenzentrum des Berner Oberlandes, ist zur grossen
Hotelstadt geworden. Von *Luzern* zieht ein Strom von Kraftwagen am *Vierwaldstätter See* entlang zur Gotthardstrasse. Südlich   15
des *Wallis*, des oberen Rhônetals, ist *Zermatt* der Ausgangs-
punkt für Ausflüge zu den Bergriesen *Matterhorn* und *Monte Rosa*.
Im italienischen Sprachgebiet des *Tessin* macht sich bereits der
Einfluss des mediterranen Klimas bemerkbar: Am Luganer See
wächst der Ölbaum. *Lugano* und *Locarno* werden besonders im   20
Frühjahr von Fremden aufgesucht. Als Winterkurorte in ge-
sunder, nebelfreier und sonniger Lage sind in *Graubünden* St.
Moritz und *Pontresina* im *Engadin*, dem oberen Inntal, sowie
Davos und *Arosa* als Lungenheilstätten weltberühmt. Der Frem-
denverkehr stellt einen bedeutenden Aktivposten in der Wirt-   25
schaft der Schweiz dar.
   Das Schweizer Mittelland. Das reich in Hügel und Täler

---

* By kind permission: Aus SEYDLITZ, Teil 4: Deutschland und Europa,
1958, geographisches Unterrichtswerk. Mit freundlicher Genehmigung
des Verlages Ferdinand Hirt, Kiel, Bundesrepublik Deutschland. Pp.
117–118.

gliedern to divide, arrange
Genfersee Lake of Geneva
Bodensee Lake Constance
der Ackerbau agriculture, farming
die Bevölkerung population
überwiegend predominantly
das Bauernland farm-land
der Getreidebau cultivation of cereal
das Vieh / die Zucht cattle / breeding
der Zucker / die Rübe sugar / beet
anbauen to cultivate
der Hang slope; projection
die Rebe grape (vine)
herstellen to produce
der Betrieb operation, work(s)
reichlich abundantly
vorhanden (sein) to be available
die Seide silk
die Stickerei embroidery
der Standort permanent office, headquarters
dichtbesiedelt densely populated
die Baumwolle cotton
das Leinen linen (goods)
verarbeiten to work up, manufacture
roh / der Stoff raw / material
der Bodenschatz (der Boden / der Schatz) mineral wealth (ground / treasure)
fehlen to be missing, to lack
einführen to import
hervorragend prominent, excellent
verdienen to earn
wettbewerbsfähig capable of competing
strecken / langgestreckt to stretch / extensive, stretched out

sich (hin)ziehen to run, extend
schroff rugged, precipitous, steep
die Juraformation Jurassic formation
ungestört uninterrupted
waagerecht horizontal
die Schicht layer, stratum
zutage treten to appear, crop out
die Entstehung formation
die Falte fold
das Musterbeispiel (das Muster / das Beispiel) exemplary illustration (model / example)
wasserdurchlässig permeable (to water)
der Kalkboden calcareous soil
der Rücken ridge
der Pflanzenwuchs (die Pflanze / der Wuchs) vegetation (plant / growth)
dürftig scant
steil steep, precipitous
verbreiten to spread, diffuse
das Sägewerk (die Säge / das Werk) sawmill (saw / works, plant, mill)
herstellen to produce
die Ausfuhr / die Ware export / ware, item
hinunterstürzen to plunge (or tumble) down(wards)
der Fels(en) rock, cliff
die Höhe / der Unterschied elevation / difference
das Kraftwerk power plant
ausnutzen to utilize, exploit
anschliessen (schloss . . . an angeschlossen) to annex
der Hafen port, harbor
die Bedeutung / an Bedeutung gewinnen significance / to win significance, become important

gegliederte Land zwischen Alpen und Jura, Genfersee und Bodensee, ist das Ackerbau- und Industriegebiet der Schweiz. Hier wohnt mehr als die Hälfte der Bevölkerung.

Der westliche Teil ist überwiegend Bauernland mit Getreidebau und Viehzucht; auch Tabak und Zuckerrüben werden 5 angebaut. An den Hängen des Genfer Sees und am Fusse des Jura wachsen Reben. In zahlreichen Fabriken, wie in *Genf*, *Bern*, *Vevey*, werden die berühmten Schweizer Milchprodukte, Kondensmilch, Käse und Schokolade, hergestellt. Die meisten Industriebetriebe liegen in der östlichen Hälfte 10 des Mittellandes, wo Wasserkräfte reichlich vorhanden sind. Textilwaren, Seidenstoffe und Stickereien kommen vor allem aus *Zürich*, *Winterthur* und *St. Gallen*. Auch die Maschinenindustrie hat ihre Standorte in Zürich und Winterthur, wo Lokomotiven, Turbinen und Elektromotoren gebaut werden. In dem 15 dichtbesiedelten Viehzuchtgebiet zwischen der unteren Aare und der unteren Reuss werden in Fabriken Baumwolle, Leinen und Leder verarbeitet. Da der Schweiz fast alle Rohstoffe und Bodenschätze fehlen, müssen sie eingeführt werden. Die Schweiz kann darum nur durch hervorragende Qualitätsarbeit auf dem 20 Weltmarkt verdienen und wettbewerbsfähig bleiben.

Der Jura. Als langgestrecktes Gebirge zieht sich der Jura von der Rhône bis zum Rhein. Seine schroffen Südosthänge begrenzen das Mittelland. Während die Juraformation in der Schwäbischen und Fränkischen Alb ungestört in waagerechten 25 Schichten zutage tritt, ist der Schweizer Jura während der Entstehung der Alpen in Falten gelegt worden. Er ist ein Musterbeispiel für ein Faltengebirge. Auf dem wasserdurchlässigen Kalkboden der Rücken ist der Pflanzenwuchs nur dürftig. Die steilen Hänge sind bewaldet. Überall im Wald- und 30 Bauernland des Jura ist die Industrie verbreitet: Sägewerke, Papier- und Zementfabriken. Hier werden die weltbekannten Schweizer Uhren hergestellt, die heute zu den wichtigsten Ausfuhrwaren der Schweiz gehören.

Im Norden werden die Juraschichten vom Rhein durchbro- 35 chen. Im Rheinfall stürzt er über die harten Felsen 20 m tief hinunter. Der Höhenunterschied wird in einem Kraftwerk ausgenutzt, an das ein grosses Aluminiumwerk angeschlossen ist. *Basel* gewinnt als Hafen der Schweiz immer mehr an Bedeutung.

die Geltung   recognition, respect
verwickeln   to involve, entangle
entfalten   to unfold, develop
die Duldsamkeit   tolerance
die Bereitschaft   readiness
die Not   distress, need
lindern   to alleviate, allay
die Achtung   esteem, respect, regard
das Vertrauen   confidence, trust
sichern   to assure
überstaatlich   supranational, cosmopolitical
der ständige Sitz   permanent residence (or seat), headquarters

das Internationale Arbeitsamt /
   das Amt   International Labor
   Office / office, bureau
ehemals   formerly
der Völkerbund (das Volk / der
   Bund)   League of Nations (people / league)
die Währung   currency
unverändert   unchanged
die Versicherung / das Wesen
   insurance / system
geniessen   to enjoy
das Ansehen   esteem, respect

Die Weltgeltung der Schweiz. Die Schweiz ist nur ein kleines Land. Da sie als neutraler Staat seit hundert Jahren in keinen Krieg mehr verwickelt war, konnte sich die Wirtschaft ungestört entfalten. Politische und religiöse Duldsamkeit und die Bereitschaft, Leid und Not lindern zu helfen, haben dem Land die 5 Achtung und das Vertrauen der Welt gesichert. Manche überstaatliche Organisationen haben ihren ständigen Sitz in der Schweiz, wie das Rote Kreuz, das Internationale Arbeitsamt und ehemals der Völkerbund. Die Schweizer Währung ist in ihrem Wert seit Jahrzehnten unverändert geblieben. Das 10 Schweizer Bank- und Versicherungswesen geniesst daher internationales Ansehen.

5

"FÖHN" WEATHER

sonderbar strange, peculiar
der Geselle fellow
der Föhn from Latin "favonius"
(west wind)
launisch moody, capricious; ill-
humored
überfallen to overtake
friedlich peaceful
heftig strong, violent
toben to storm, rage
der Staub dust
wirbeln to whirl, swirl, eddy
die Angel hinge
auf und zu fliegen to fly open
and shut
der Eiszapfen icicle
träufeln to trickle, drip
das Schmelzwasser melting snow,
slush
rutschen to glide, fall, slide
die Fichte spruce (*Picea excelsa*)
der Schlitten / die Bahn sleigh /
course
zusammenbrechen to collapse,
break down
ohnmächtig unconscious
der Stoss gust
die Stube room, chamber
gelaunt disposed
das Dach / der Ziegel roof / tile
zertrümmern to shatter
die Scheibe (window) pane
klagen (über) to complain (about)

das Weh ache
froststarr chilled immobile
die Schneeschmelze (der Schnee /
die Schmelze) thaw (snow /
melting)
der Rand edge, periphery
dünn thin
aufsteigen to rise, ascend
fliessen to flow
talwärts toward the valley, down-
hill
streichen to run, move (gently)
der Kamm ridge
umgekehrt on the contrary
abkühlen to cool or chill
(down)
trocken dry
hinausschieben to postpone
schmelzen to thaw, melt
der Einzug coming, beginning
vorbereiten to prepare
reifen to ripen, mature
der Mais maize, (Indian) corn
der Türkenröster (das Türken-
korn = Mais) toaster, roaster,
griller of corn
der Schneefresser "snow-eater,"
devourer or melter of snow
wehen to blow
das Obst / die Blüte / die Ernte
fruit / blossom (time) / harvest
austrocknen to dry up, desiccate
zart tender

5

DER FÖHN*

Ein sonderbarer Geselle ist der F ö h n, der launisch die Alpentäler
überfällt. Plötzlich nach den friedlichsten Sonnentagen beginnt
ein heftiger Wind zu toben. Staub wirbelt durch das Dorf und
die Fenster fliegen in den Angeln auf und zu. Hingen gestern
noch Eiszapfen von den Dächern, träufelt heute früh schon 5
Schmelzwasser; Schnee rutscht von den Fichten, die eisige Schlitt-
bahn bricht zusammen. Der Schneeman fällt ohnmächtig um:
Frühlingsluft scheint gekommen. Windstösse sind so warm, als
kämen sie aus einer Stube. Manche Menschen werden schlecht
gelaunt, nicht nur aus Angst vor einem Dachziegel oder einer 10
zertrümmerten Fensterscheibe. Sie klagen seit gestern schon
über Kopfweh. In einer Stunde ist aus der froststarren Landschaft ein Bild geworden, als sei die Zeit der Schneeschmelze.
Das ist der Föhn, der warme Wind. Wenn am Rand der Alpen
die Luft leicht und dünn wird, steigt sie auf. Aus den Alpen- 15
tälern fliesst andere dorthin. Dabei muss diese Luft in den
Alpen talwärts streichen, von der Höhe in die Tiefe. Sie er-
wärmt sich durch den Druck und Fall von den Bergkämmen in
die Täler, so wie sie sich umgekehrt abkühlen würde, wenn sie
aufstiege. Weil sie beim Fall ins Tal warm geworden ist, ist 20
sie auch trockener. Solche Föhntage sind in den Alpen meist
im Herbst, wo sie durch ihre warme Luft den Beginn des stren-
gen Winters hinausschieben, und im Frühjahr, wo sie den Schnee
schmelzen helfen und den Frühlingseinzug vorbereiten. Im
Herbst reift der warme Föhnwind auch nördlich der Alpen den 25
Mais, wir nennen ihn deshalb den Türkenröster, im Frühjahr
heisst er der Schneefresser. Weht er zur Zeit der Obstblüte, so
wird er gefährlich. Er trocknet die zarten Blüten aus und die

* From: Dr. Hermann Gsteu, *Länderkunde Österreichs*. Zweite Auflage.
1948. Pp. 32–33. By kind permission of Tyrolia-Verlag, Innsbruck, Wien.

23

der Jauk (*from Slovenian*) south
wind
der Tauernwind (Die Hohen
Tauern ist eine Gruppe der
Ostalpen)
andauern to last
herüberziehen to go over across
der Nebel / der Flor fog / veil
gauze
sichbar werden to become
visible
die Mauer wall
der Gipfel peak
lagern to hang over
flattern to flutter, float
gespensterhaft ghostly
die Fahne wisp, streak
sich auflösen to dissolve, disperse
zerstieben to scatter away, vanish
die Gestalt form, shape
nachwachsen to grow again

zauberhaft magical, bewitching,
enchanting
der Anblick sight, view
der Ziegel brick
die Farbe / rein color / pure
greifbar palpable, seizable
nahe rücken to move (up) closer
eigenartig peculiar
die Erscheinung phenomenon
tüchtig thoroughly
lüften to ventilate
nützlich useful
das Erlebnis experience,
adventure
kränklich sickly
allerdings to be sure
trüb troubled, melancholy
reizen to irritate
das Gemüt disposition, spirit
bedrücken to oppress, distress

Obsternte wird schlecht. Er weht besonders heftig und häufig im Rheintal und Inntal. In Kärnten und in der Südsteiermark heisst er der Jauk, im Salzburgischen der Tauernwind. Dauert der Föhn an, dann zieht er auch die Luft bis aus den Tälern jenseits der Berge über die Pässe und Kämme herüber. Dort steigt 5 die Luft auf, kühlt sich dabei ab und wird als Nebelflor sichtbar, der als „F ö h n m a u e r" auf dem Berggipfel lagert. Kaum ist die Luft über den Kamm gestiegen, fällt sie diesseits wieder herunter und beginnt sich zu erwärmen. Von der Föhnmauer flattern dann gespensterhafte Nebelfahnen ins Tal hinaus, die 10 vorne sich auflösend in Nichts zerstieben und vom Gebirge her immer wieder in neuen Nebelgestalten nachwachsen. Ein zauberhafter Anblick! Bruder Willram, ein Tiroler Dichter, nennt den Föhn den besten Maler Tirols. Berg und Wald, das Ziegelrot der Dächer und der Himmel sind farbenrein und alles 15 scheint greifbar nahe gerückt. Der Föhn ist eine eigenartige Erscheinung unserer Alpenheimat, für die Lungen gesund, weil er die Täler tüchtig lüftet, dem Bauern nützlich, dem Naturfreund ein Erlebnis. Kränklichen Menschen allerdings bringt er manche trübe Stunde, indem er ihre schwachen Nerven reizt 20 und ihr Gemüt bedrückt.

6

POWER ECONOMY

der Bedarf   need, requirement
der Zweck   purpose
benötigen   to need
die Deckung   coverage
die Einheit   unit
kcal = die Kilokalorie
ausdrücken   to express
betragen (betrug betragen)
   to amount to
die Nutzenenergie   effective
   energy
die Beleuchtung   light, illumina-
   tion
zurücktreten   to recede, step back
demnach   accordingly
etwa   somewhat
gesamt   total
beteiligt sein an   to participate,
   have a share in
der Aufwand   expenditure
naturgemäss   by its nature
infolge   owing to
teilweise   partially
recht (= ziemlich)   rather
der Verlust   loss
die Umwandlung / die Stufe
   transformation, conversion / step
roh   raw

erheblich   considerable
betrieblich   operational
die Wirkung / der Grad
   efficiency / degree (of)
der Dampf / das Kraftwerk
   steam / power station (or plant)
vorherrschen   to predominate,
   prevail
die Art   kind, type
der Durchschnitt   average
die Quelle   source
zur Verfügung stehen   to be
   available
die Steinkohle   pit coal, mineral
   coal
die Braunkohle   brown coal,
   lignite
der Torf   peat
das Erdöl   petroleum
der Ölschiefer   (petroliferous)
   shale
fliessende Gewässer   running,
   flowing water(s)
die Ebbe und die Flut   ebb and
   flood tide
vorliegend   present
das Verhältnis   condition, circum-
   stance, situation

ENERGIEWIRTSCHAFT*

Energiebedarf (Elektrizität, Gas, Wasser). Energie wird für
drei Zwecke benötigt: zur Deckung des Bedarfs an Licht, Kraft
und Wärme. In Wärmeeinheiten (kcal) ausgedrückt betrug
dieser Bedarf in Westdeutschland (Nutzenergiebedarf 1948) etwa:

für Beleuchtung	$0,08 \times 10^{12}$ kcal
für Kraft	31×10^{12} kcal
für Wärme	94×10^{12} kcal
	$125,08 \times 10^{12}$ kcal

Der Bedarf für Beleuchtung tritt demnach weit hinter den Energiebedarf für Kraft und Wärme zurück; letzterer ist mit etwa
75% am gesamten Energiebedarf beteiligt.

Der Energieaufwand zur Deckung dieses Bedarfs ist naturgemäss infolge teilweise recht hoher Verluste in den Energie-
umwandlungsstufen zwischen Roh- und Nutzenergie erheblich
grösser. So liegt der betriebliche thermische Wirkungsgrad
eines Dampfkraftwerkes, der in Deutschland vorherrschenden
Kraftwerksart, im Durchschnitt etwa nur bei 23%.

Energiequellen. Zur Deckung des westdeutschen Energie-
bedarfes stehen theoretisch zur Verfügung:

Steinkohle,
Braunkohle,
Torf und Holz,
Erdöl, Erdgas und Ölschiefer,
Wasserkraft (fliessende Gewässer, Ebbe und Flut) und
Windkraft.

Bei den vorliegenden natürlichen Verhältnissen und dem

* From: Dr. H. J. von Merkatz, Dr. W. Metzner, A. H. Ziegfeld, *Deutschland Taschenbuch*. 1954. Pp. 306–307. By kind permission of Alfred
Metzner Verlag, Frankfurt am Main.

augenblicklich present, immediate

ausscheiden to reject, not enter into consideration

das Gewicht weight

ins Gewicht fallen to carry great weight, be of importance

die Nutzung utilization

der Tidenhub tidal (lifting) power

die Küste coast

vorläufig for the present, provisionally

das Vorkommen occurrence

unzureichend insufficient

angehen to utilize, exploit

die Gewinnung obtaining, production

cbm = das Kubikmeter = 35.3 cubic feet

der Brennstoff fuel, combustible material

beschränken to limit

örtlich local

die Bedeutung significance

bzw. (beziehungsweise) respectively; or

entfallen auf to fall to one's share

schätzungsweise approximately

kW = das Kilowatt

kWh = kWst (work done by one kW in one hour)

ausbauen to develop, construct

die Erzeugung production

der Strom current

öffentlich public

die Eigenanlage private enterprise

der Ausbau (*see* **ausbauen**)

der Anteil part, portion

steigen to increase

wachsen to grow

schliesslich finally

absinken to sink, fall

augenblicklichen Stand der Technik scheidet eine ins Gewicht fallende energiewirtschaftliche Nutzung der Windkraft und des Tidenhubes an Deutschlands Meeresküsten vorläufig aus. Westdeutschlands Ölschiefer- und Erdölvorkommen sind unzureichend oder für den Energiebedarf noch nicht angegangen. Die Erdgasgewinnung mit etwa 100 Millionen cbm (1952) ist gering. Holz und Torf als Brennstoff haben nur beschränkte örtliche Bedeutung. An Wasserkraft aus fliessenden Gewässern ist Deutschland nicht reich. Auf die deutschen Flussgebiete bzw. Flussgebietsteile entfallen schätzungsweise 5,3 Millionen kW, davon 2,6 Millionen kW ausgebaut. (Wasserkräfte der Erde: 1,49 Milliarden kW, davon Nordamerika: 0,19 Milliarden kW.) Die ausgebauten Wasserkräfte Westdeutschlands hatten 1952 nur eine Jahreserzeugung von 10,3 Milliarden kWh (brutto), das sind etwa 18% der gesamten Stromerzeugung in öffentlichen Kraftwerken und Eigenanlagen. Auch mit weiterem Ausbau der westdeutschen Wasserkräfte wird dieser Anteil nicht steigen, sondern bei dem wachsenden Elektrizitätsbedarf schliesslich sogar absinken.

7

LAND AND PEOPLE OF THE SOUTH MOLUCCANS

die **Pflanzenwelt** flora
der **Übergang** transition
überwiegen to predominate
aufweisen to exhibit, show
aussergewöhnlich extraordinary,
  unusual
die **Dichte** density, thickness
verschieden various
die **Art** kind, type
die **Insel** island
das **Nutzholz** timber, useful
  (construction) wood
gebirgig mountainous
die **Tierwelt** fauna
umfassen to embrace, comprise

das **Wildschwein** wild boar
riesig gigantic, immense
die **Fledermaus** bat
der **Hirsch** deer
das **Baumbeuteltier** arboreal
  marsupial
die **Schlange** snake
der **Reichtum** richness
das **Gebiet** area
sich richten nach to conform to,
  depend upon
die **Höhe / die Stufe** elevation /
  level
die **geographische Lage**
  geographic(al) position

LAND UND VOLK DER SÜD-MOLUKKEN*

Pflanzenwelt

Die Pflanzenwelt zeigt sowohl asiatische wie australische Elemente, mit Übergängen vom Western zum Osten, doch überwiegt die reichere asiatische Vegetation. Ceram und Buru weisen typischen tropischen Regenwald von aussergewöhnlicher Dichte auf. Rotan (Stuhlrohr), Bambus, Kokos- und Sagopalmen 5 gibt es überall in verschiedenen Arten, im Innern der Inseln dazu wertvolles Nutzholz, dessen Transport jedoch wegen des gebirgigen Charakters der Inseln und der Kleinheit der Flüsse schwierig ist. Auf den südlichen Inseln finden sich Steppen mit hohem Alang-Alang-Gras. 10

Tierwelt

Die Tierwelt umfasst unter anderem Wildschweine, riesige Fledermäuse (Kalongs), Hirsche, Baumbeuteltiere (Kusus), Krokodile, verschiedene Schlangenarten (darunter Pythonschlangen). Der Fischreichtum in den Seegebieten ist gross. Wie in allen tropischen Gebieten richten sich Klima, Tier- und 15 Pflanzenwelt mehr nach der Höhenstufe als nach der geographischen Lage.

* From: Dr. Günter Decker, *Republik Maluku Selatan.* 1957. P. 22.
By kind permission of Verlag Otto Schwartz & Co., Göttingen.

ALPINE FAUNA

die Matte   alpine meadow
die Gemse (*or* die Gems)   chamois, alpine goat
der Fels(en) / die Kanzel   rock / "pulpit," projection
das Leittier   leader, lead animal
daraus schliessen   to conclude from that
die Wanne   hollow, valley, depression
das Rudel   herd
äsen   to graze
das Zicklein   kid
der Pfiff   whistle
die Schicht   stratum, course, bed
die Geröllmulde   stony depression, scree trough
sonderbar   strangely, peculiarly
läuten   to ring, tinkle
die Kuh / die Herde   cow / herd
unbekümmert   untroubled, unconcerned
das Weidevieh (die Weide / das Vieh)   beast one puts to pasture (grazing pasture / cattle)
zählen zu   to count among
der Feind   enemy
die Tanne   fir tree (*Abies alba*)
stolzieren / der Stolz   to strut / pride
der Hirsch   stag, deer, hart
das Geweih   antler(s)
kraftbewusst   conscious of (own) power, confident

das Reh   roe (deer)
die Morgen- und Abenddämmerung   dawn and twilight
der Wiesenrain (die Wiese / der Rain)   balk (*or* ridge) edging a meadow (meadow / balk)
der Feldrain   balk (*or* ridge) edging a field
das Murmeltier   marmot
infolge   because of, as a result of
scheu   shy
das Wesen   nature, character
unerfahren   inexperienced
der Nagezahn (nagen / der Zahn)   incisor (tooth) for gnawing (to gnaw / tooth)
mähen   to mow, reap
das Pfötchen (die Pfote)   little paw (paw)
ausbreiten   to spread out
beschnüffeln   to sniff, scent
das Heu / die Ernte   hay/harvest
dürr   dry
die Höhle   cave, den, hole
der Steinadler   Golden Eagle (*Aquila chrysaetus* L.)
kreisen   to circle
unvorsichtig   incautious, careless
das Füchslein   little fox
spähen   to spy, scout
der Bezirk   district, county
gelegentlich   occasional
verirren   to go astray, err

8

DIE TIERWELT DER ALPEN*

Die Tierwelt der Alpen gehört zum Landschaftsbild wie die Wälder und Matten. Wie majestätisch steht eine Gemse manchmal auf einer Felskanzel! Es ist ein Leittier auf der Wacht. Wir schliessen daraus, dass in der Nähe in einer grünen Wanne ein kleines Rudel äst, wobei eine Gemsmutter ihr Zicklein die 5 ersten Sprünge lehrt. Ein Pfiff und alle hasten über Schichtbänder und Geröllmulden hinter dem Leittier nach einem sichern Ort. Sonderbar klug sind sie. Den Menschen fürchten sie; wie idyllisch ist es aber, inmitten einer läutenden Kuhherde eine unbekümmerte Gemse zu sehen! Sie weiss, warum sie das 10 friedliche Weidevieh nicht zu ihren Feinden zählt. Im dunkeln Tannenwald stolziert der Hirsch mit majestätischem Geweih, kraftbewusst einen andern zum Zweikampf suchend. Das Reh haust noch etwas tiefer im Wald und kommt in der Morgen- und Abenddämmerung bis zu den Wiesen- und Feldrainen. Das 15 Murmeltier ist in der alpinen Region durch seine schrillen Warnungssignale häufig zu hören, infolge seines scheuen Wesens aber weniger zu sehen. Welcher unerfahrene Städter ist nicht erstaunt, wenn man ihm erzählt, wie dieses Tierchen an warmen Sommertagen mit seinen Nagezähnen Gras mäht, es mit seinen 20 Pfötchen in der Sonne ausbreitet, es nach Stunden mit der Nase beschnüffelt, ob es zur Heuernte dürr genug sei und es dann in die Höhle trägt? So klug sind die Tiere in der freien Natur! Der Steinadler kreist in den Lüften, nach einem unvorsichtigen Füchslein oder einem unbewachten Lamm spähend. Der Bär 25 ist selten geworden. Um 1500 waren im Bezirk Steinach am Brenner noch 50 Stück. Gelegentlich verirrt sich noch einer aus Graubünden zu uns. Jetzt sollen sie in den Nonsbergischen

* From: Dr. Hermann Gsteu, *Länderkunde Österreichs.* Zweite Auflage. 1948. Pp. 34–35. By kind permission of Tyrolia-Verlag, Innsbruck, Wien.

antreffen to meet
der Bach / die Forelle brook,
  stream / trout
beleben to animate
das Gewässer water(s)
die Anlage installation, works
die Feindin enemy (*feminine*)
beschaulich contemplative,
  meditative; cozy
lehrreich instructive
die Art kind
aufzählen to enumerate
auffallen to strike, be obvious

die Anpassung adaptation
beobachten to observe
wehrlos defenseless
färben to color
die Umgebung environment
grau / rötlich grey / reddish
der Gegensatz contrast
ausnützen to utilize, exploit
z.B. (**zum Beispiel**) for example
zurückwerfen to reflect
die Entwicklung development
ihresgleichen congener, their kind

Alpen wieder mehr anzutreffen sein. Die Bachforelle belebt die Berggewässer. Die Industrie mit ihren unreinen chemischen Kanalwässern und Turbinenanlagen ist ihre Feindin. Auch hat die moderne See- und Flussregulierung den Fischen manche beschaulich-ruhige Stelle genommen. $\quad$ 5

Weniger lehrreich ist es für uns, alle Arten von gross und klein der alpinen Tierwelt aufzuzählen, als ihre ganz auffallende Anpassung an die Natur zu beobachten. Das Kleid ist bei wehrlosen Tieren gefärbt wie die Umgebung. Die Gemse ist im Sommer graurötlich, im Winter ist sie, ganz im Gegensatz zum 10 Schnee, schwarz. Diese Farbe nützt die Sonnenwärme besser aus als z.B. das Helle, das sie zurückwirft. Viele kleine Tiere brauchen in den Alpen längere Zeit zur Entwicklung als ihresgleichen im Tal.

9

THE NATURAL HISTORY OF THE WOLF

die **Länge** length
die **Schulter** / die **Höhe**
  shoulder / height
die **Rute** tail, brush
das **Kennzeichen** characteristic,
  distinguishing mark
die **Ähnlichkeit** similarity
der **deutsche Schäferhund**
  Alsatian wolfhound, "German
  shepherd"
der **Bau** build of body
schief gestellt slantingly placed
der **Eckzahn** (die **Ecke** / der
  Zahn) canine tooth, eyetooth
  (corner / tooth)
der **Pelz** pelt, fur
abändern / **ändern** to change,
  alter / to vary
das **Alter** age
die **Gegend** region, area
aufrecht erect
der **Rand** margin
der **Schwanz** tail
der **Stammvater** / der **Stamm**
  ancestor / race, tribe, stock
die **Rasse** breed
die **Kreuzung** cross, hybrid
erfolgreich successful
das **Vorkommen** occurrence
das **Gebirge** mountain(s)
der **Schaden** damage
ausrotten to exterminate
bewohnen to inhabit
die **Zahl** number
erlegen to slay, kill
das **Grossherzogtum Hessen**
  Grand Duchy of Hesse
einwechseln to alternate
sogenannt so-called
der **Bezirk** district, county
Junge bringen to give birth

allerletzt last, latest
der **Fall** case
der **Zuwanderer** immigrant
der **Kreis** district, circuit
der **Rüde** male (wolf, fox, dog)
wiegen (**wog gewogen**) to weigh
kg (das **Kilogramm**, das **Kilo**)
  kilogram (*weight*), 2.2 pounds
  (avoir.)
m (das, der **Meter**) meter (*lineal
  measure*), 39.37 U.S. inches
die **Herkunft** origin
ausscheiden to exclude, eliminate
vollkommen completely
die **Vogesen** Vosges Mountains
die **Lebensweise** mode of life,
  habits
tagsüber during the day
verstecken to hide, conceal
umherschweifen to roam about
hören lassen (**lässt ... hören**) to
  let be heard ("gives out with")
kläglich plaintive, lamentable
das **Heulen** howling, crying
betreiben to carry on
das **Rudel** pack (of wolves)
die **Ausdauer** endurance
die **Hetzjagd** (die **Hetze** / die
  Jagd) hunt, chase (baiting,
  driving / hunt)
der **Hase** hare
reissen to tear, rend
der **Hirsch** deer
das **Reh** roe (deer)
einbrechen to break in
angreifen to attack, seize hold of
die **Qual** pang, torment
vorliebnehmen to put up with,
  tolerate
die **Not** want, need, distress

9

WOLF (Canis lupus)*
Körperlänge 1,15 m, Schulterhöhe 85 cm, Rute 45 cm.

Kennzeichen: Grosse Ähnlichkeit mit dem deutschen Schäferhund, jedoch stärkeren Körperbau, dickeren Kopf, schief gestellte Augen und stärkere Eckzähne. Pelz oberseits gelbbraungrau und schwarz gemischt, unterseits gelblich grauweiss; ändert nach Alter, Gegend und Jahreszeit ab. Ohren aufrecht, am Rande 5 schwarz. Schwanz lang, buschig behaart und herabhängend. Ist einer der Stammväter unserer Hunderassen; Kreuzung zwischen Wolf und Haushund erfolgreich. Familie: Hunde (Canidae).

Vorkommen: Skandinavien, Russland, Polen, Serbien, Karpa- 10 thenländer, Balkangebirge, Pyrenäen. In Deutschland wegen des grossen Schadens ausgerottet. Bewohnte noch im 18. Jahrhundert bei uns alle grossen Wälder, wurde noch im 19. Jahrhundert in grösserer Zahl erlegt, im Grossherzogtum Hessen der letzte 1841. Heute nur noch in Ostpreussen und Rheinland 15 einwechselnd, sogenannte *Wanderwölfe* vom Osten her. In den 20er Jahren brachte im Bezirk Schneidemühl eine Wölfin Junge. In den allerletzten Jahren wurden in Niedersachsen in 3 Fällen Wölfe erlegt, die Zuwanderer aus dem Osten waren. Der 1952 bei Wreidel im Kreise Ülzen erlegte Rüde wog 39,75 kg bei 20 1,91 m Länge. Eine westliche Herkunft der heute noch bei uns zuwandernden Wölfe scheidet vollkommen aus, denn die Ardennen, Argonnen und Vogesen sind längst frei von Wölfen.

Lebensweise: Lebt tagsüber versteckt, schweift nachts weit umher, lässt klägliches Heulen hören, betreibt in grossen Rudeln 25 mit grosser Ausdauer *Hetzjagd* auf Hasen, Vögel, kleinere Tiere, reisst Hirsch und Reh, bricht in Schafherden ein, greift bei Hungerqual sogar den Menschen an, nimmt in Zeiten der Not auch mit Kartoffeln und Früchten vorlieb.

* From: Dr. J. Graf und M. Wehner, *Der Waldwanderer.* 1954. Pp. 109–110. By kind permission of J. F. Lehmanns Verlag, München.

THE NATURAL HISTORY OF THE GREAT HORNED OWL

das Kennzeichen characteristic, distinguishing mark

die Eule owl

das Gefieder plumage

der Fleck mark, patch, spot

aufrichtbar erectile

die Feder / das Büschel feather / tuft

von weitem from afar

die Ohrmuschel external ear, auricle

aussehen to appear, look like

dumpf dull, apathetic, hollow, gloomy

der Lockruf (locken / der Ruf) call (of bird) (to decoy, entice / call)

ertönen to sound

schauerlich blood-curdling, awesome

das Vorkommen occurrence

vereinzelt sporadic

der Fels(en) rock, cliff, crag

unerreichbar inaccessible

z.B. (zum Beispiel) for example

der Böhmerwald Bohemian Forest

der Bayerische Wald Bavarian Forest

wohl auch perhaps also

die Sächsische Schweiz Saxon Switzerland

versuchen to attempt

ansiedeln to settle, colonize, establish

die Lebensweise mode of life, habits

tagsüber during the day

der Nistplatz nesting place

benützen to utilize

schützen to protect

brüten to brood, hatch

die Mulde hollow, valley, depression

dicht thick, dense

das Gebüsch bush, thicket, shrub

die Fichte spruce (*Picea excelsa*)

verstecken to hide, conceal

der Wipfel treetop

verbringen to spend (*time*), pass

regungslos motionless

die Haltung position (physical), attitude

der Schlummer slumber

sich hingeben to indulge in

leise light, slight

das Geräusch noise

der Spalt slit

sich aufrichten to erect

leuchten to shine

kreisrund circular

die Gefahr danger

im Anzug sein to approach, be imminent

abstreichen to quit the nest, fly away

geräuschlos noiseless

der Einbruch fall (of night)

die Dämmerung twilight

10

UHU (Bubo bubo)*
Etwa 60 cm hoch

Kennzeichen: Grösste und schönste Eule. Gefieder rostbraun mit
schwarzbraunen Flammenflecken. Auf dem Kopfe zwei auf-
richtbare Federbüschel, die von weitem wie Ohrmuscheln aussehen. Sein dumpfer Lockruf ertönt schauerlich durch die
nächtliche Waldesstille.   5
Vorkommen: Der Uhu ist die seltenste Eule unserer Heimat.
In Deutschland kommt er nur ganz vereinzelt in grossen Wäldern oder auf Felsen, die für den Menschen unerreichbar sind,
noch wild vor, so z.b. am Rhein, im Böhmer- und Bayerischen
Wald, wohl auch im Werratal. Im Vogelsberg, in der Sächsi- 10
schen Schweiz und in Württemberg versucht man ihn wieder
anzusiedeln.
Lebensweise: Tagsüber sieht man das Uhupaar sehr selten. Als
Nistplatz benützt der Uhu am liebsten geschützte Felsennischen,
in denen er seine Eier einfach auf den Boden legt. Im Norden 15
brütet er auch am Boden in einer Mulde, die im dichten Wald
durch Gebüsch oder eine kleine Fichte gut geschützt ist. An
dem versteckten Nistplatz oder im Wipfel eines hohen Baumes
verbringt der Vogel in regungsloser Haltung, einem leichten
Schlummer hingegeben, den Tag. Schon beim leisesten Geräusch 20
öffnen sich die ganz oder bis auf einen schmalen Spalt ver-
schlossenen Augen. Die Federohren richten sich auf, und die
grossen Eulenaugen leuchten mit ihrer tiefschwarzen, kreisrunden
Pupille und mit der goldgelben Iris in ihrer ganzen Schönheit.
Ist eine Gefahr im Anzug, dann streicht der grosse Vogel geräu- 25
schlos ab. Erst nach Einbruch der Dämmerung fliegt er nach

* From: Dr. J. Graf und M. Wehner, *Der Waldwanderer*. 1954. P. 150.
By kind permission of J. F. Lehmanns Verlag, München.

nach **Eulenart** (die **Art**) after the fashion of owls, owl-like (kind, fashion)

lautlos silent

der Flug flight

dicht close

die Hauptnahrung chief food

zwischendurch at times

greifen to seize

aufschrecken to startle

der Hase hare

das Rebhuhn partridge

das Rehkälbchen fawn

sich darüber streiten to argue, dispute about it

schädlich destructive

nützlich useful

einzigartig unique

das Denkmal monument

heimatlich native

erhalten bleiben to be preserved

unter Naturschutz stellen to place under natural preserve protection

Eulenart in lautlosem Fluge dicht über den Boden hin. Mäuse bilden seine Hauptnahrung. Zwischendurch greift er auch aufgeschreckte Vögel im Fluge, ja er greift sogar Hasen, Rebhühner und Rehkälbchen an. Man mag sich streiten darüber, ob dieser „König der Nacht" mehr schädlich als nützlich ist. Als einzig- 5 artiges Denkmal unserer heimatlichen Natur soll er uns erhalten bleiben. Deshalb wurde er wie alle übrigen Eulen unter Naturschutz gestellt.

11
SNAILS / SLUGS

geschlängelt winding, meandering
der Streifen strip, line
der Baum / der Stamm tree / trunk
berichten to inform, report
eigenartig peculiar
gleiten / die Bewegung to glide / movement
abgeschiedener Schleim secreted mucus (*or* slime)
der Teppich carpet
ausbreiten to spread out
dazu dienen to serve (to)
die Unebenheit unevenness
die Reibung friction
überwinden to overcome
ferner in addition, besides
imstande sein to be able, be in a position to
senkrecht vertical
hochklettern to climb up
überhaupt in general
gleich (just) like
die Raupe / der Schlepper caterpillar / tractor
dahingleiten to glide along (*or* away)
einzig dastehend unrivalled, unique
das Nachdenken consideration
sonderbar peculiar, curious
die Bewegungsweise method (*or* mode) of locomotion
z.B. (zum Beispiel) for example
ohne weiteres without further ado
die Armut paucity, lack
der Nadelwald / die Nadel coniferous forest / needle
der Reichtum abundance
feucht moist
licht light
der Laubwald / das Laub deciduous forest / foliage

völlig completely
meiden to avoid
spitz pointed, sharp
ritzen to scratch, cut
das Hindernis obstacle
rauh rough
die Rinde bark
die Tanne fir tree (*Abies alba*)
die Eiche oak tree (*Quercus sp.*)
die Buche beech tree (*Fagus silvatica*)
wogegen whereas
glatt smooth
bevorzugen to prefer
ferner furthermore
nackt naked
beständig constantly
das Austrocknen drying out, desiccating
schützen to protect
klebrig adhesive, viscous, sticky
überziehen (überzog überzogen) to cover
trocken dry
fortwährend continual
der Schleim / die Bildung mucus, slime / formation
benötigen to need
die Verdunstung evaporation
der Schutz protection
die Feder / das Kleid feather / covering
der Schuppenpanzer / die Schuppe scaly protective coat / scale
der Kalk chalk, calcium compound
vollkommen completely
die Gehäuseschnecke "housed" snail (i.e. with shell)
teilweise partially
fehlen to lack, be absent
bedürfen to need, require

11

SCHNECKEN*

Die geschlängelten Silberstreifen auf den Waldwegen und an den Baumstämmen berichten uns von der eigenartigen Gleitbewegung der Schnecken mit Hilfe eines abgeschiedenen Schleimes. Dieser wird wie ein Teppich ausgebreitet und dient dazu, die Unebenheiten des Bodens ohne grosse Reibung zu überwinden. ₅ Ferner ist die Schnecke dadurch imstande, an senkrechten Stämmen und Steinen hochzuklettern. Überhaupt ist es für uns interessant, zu sehen, wie der muskulöse Schneckenfuss in wellenförmiger Bewegung gleich einem Raupenschlepper dahingleitet, ein in der Natur einzig dastehendes, biotechnisches Wunder. ₁₀ Bei einigem Nachdenken über diese sonderbare Bewegungsweise wird uns auch manches andere aus dem Leben der Schnecken ohne weiteres klar, so z.B. die Schneckenarmut im Nadelwald und der Schneckenreichtum im feuchten, lichten Laubwald. Da die Schnecken zum Unterschied von den anderen Tieren völlig ₁₅ barfuss gehen, meiden sie die spitzen, ritzenden Hindernisse am Boden des Nadelwaldes. Aus dem gleichen Grunde meiden sie auch die rauhe Rinde der alten Tannen, Eichen und Buchen, wogegen sie die glatten Bäume bevorzugen. Da sie ferner nackt sind und beständig von einem vor dem Austrocknen schützen- ₂₀ den, klebrigen Schleim überzogen sind, meiden sie auch den trockenen Sand, der ebenso wie die trockenen Nadeln leicht an dem schleimigen Körper kleben bleibt und die weitere Bewegung unmöglich macht. Zur fortwährenden Schleimbildung benötigen die Schnecken viel Wasser, ebenso zur Verdunstung, da bei ihnen ₂₅ ein Verdunstungsschutz (Haar- oder Federkleid, Schuppen-, Kalk- oder Chitinpanzer) vollkommen oder wie bei den Gehäuseschnecken teilweise fehlt. Sie bedürfen deshalb einer mehr oder

* From: Dr. J. Graf und M. Wehner, *Der Waldwanderer*. 1954. Pp. 182–183. By kind permission of J. F. Lehmanns Verlag, München.

die **Umgebung** environment
ausgesprochen marked,
  decidedly, pronounced
die **Feuchtigkeit** moisture
das **Versteck** hiding place
hervorkommen to come forth,
  appear
das **Erwachen** awakening
der **Winterschlaf** hibernation
die **Nahrung / die Aufnahme**
  food / absorption, taking up
die **Ortsbewegung (der Ort)**
  locomotion, i.e. spatial movement
  (place)
der **Hausbau** construction of
  dwelling
die **Begattung** mating, copulation
das **Ei / die Ablage** egg / deposition, laying
erstmalig for the first time
das **Hervorkommen**
  (*see* **hervorkommen**)
erfolgen to result, follow
der **Dampf** vapor
schwängern to impregnate,
  saturate
entgegenführen to lead toward
der **Höhepunkt** climax, zenith
das **Dasein** existence
das **Gebüsch** bush, shrub, thicket
das **Gekräut** herbage, greenery
bevorzugen to prefer
der **Wohnort** residence, dwelling
der **Feind** enemy
die **Trockenheit** dryness
das **Bedürfnis** need, necessity
befriedigen to satisfy
die **Deckung** (protective) cover
das **Kraut** herb
das **Moos** moss
der **Mulm** rotten wood
bieten to offer
der **Gegensatz** contrast
der **Strahl** ray, beam

der **Schläfer** *from* **schlafen**
alsdann then, thereupon
schliessen to close
das **Gleichmass** uniformity
die **Herabdrückung** reduction,
  depression
die **Wiederausstrahlung**
  re-radiation
sich vollziehen to be effected,
  take place
das **Blatt** leaf
verzögern to delay, retard
bedecken to cover
der **Schützling** protégé, ward
dürr dry
zart / beschalt light, delicate /
  clad, protected (with shell)
die **Tierwelt** fauna
fürchten to fear
günstig favorable, suitable
die **Bedingung** condition
die **Zersetzung** decomposition
erzeugen to produce, generate
der **Einfluss** influence
das **Ausschlüpfen** to hatch,
  creep out
reif mature
vermeintlich alleged, supposed
die **Stumpfsinnigkeit** dullness,
  stupidity
betreffen / was ... betrifft to concern / as far as . . . is concerned
der **Geruchsinn / der Geruch**
  olfactory sense / smell
der **Geschmacksinn / der Ge-**
  schmack gustatory sense / taste
verweisen (verwies verwiesen)
  auf to refer (one) to
Fährt man ... so (Wenn man
  fährt ... so) If . . . then
fahren to trace (*or* follow) along
der **Stengel** stem, stalk
das **Ruprechtskraut** *Geranium*
robertianum plant

weniger feuchten Umgebung. Als ausgesprochene Feuchtigkeits-
tiere kommen sie besonders nach dem Regen oder nachts aus
ihren schützenden Verstecken hervor. Alle wichtigen Lebens-
funktionen, wie das Erwachen aus dem Winterschlaf, die Nah-
rungsaufnahme, die Ortsbewegung, der Hausbau, die Begattung, 5
die Eiablage und das erstmalige Hervorkommen der Jungen aus
ihrem Versteck erfolgen stets nach Regen, wenn der Boden
feucht und die Luft mit Wasserdampf geschwängert ist. Die
feuchtwarmen Tage im Mai und Juni führen sie dem Höhepunkt ihres Daseins entgegen, und der lichte, feuchte Laubwald 10
mit viel Gebüsch und Gekräut ist ihnen ein bevorzugter Wohnort. Denn hier können sie gegen ihren grössten Feind, die
Trockenheit, das Bedürfnis nach Feuchtigkeit und Wärme am
besten befriedigen. Das Laubdach der Bäume und Büsche, die
Deckung von Kräutern, Gras, Moos, totem Laub, von Steinen, 15
Erde und Mulm bieten ihnen den besten Schutz vor Sonne,
Wind und Kälte. Im Frühjahr, wenn das Laubdach noch fehlt,
bringen im Gegensatz zum Nadelwald die ersten Sonnenstrahlen
dem Laubwaldboden soviel Wärme, dass die Schläfer erwachen
und aus ihrem Versteck hervorkommen können. Alsdann sorgt 20
das sich schliessende Laubdach der Buchen erstens für das Gleichmass der Temperatur, zweitens für deren Herabdrückung, denn
die Aufnahme und Wiederausstrahlung der Wärme vollziehen
sich im Walde weniger schnell als bei einer anderen Boden-
bedeckung. Am Tag wird die Waldluft durch die Verdunstung 25
der Blätter gekühlt, und während der Nacht wird die Wärme-
ausstrahlung verzögert. Im Herbst bedeckt der Wald seine
Schützlinge mit dürrem Laub. Die Nackten, die Zartbeschalten
und die Kleinsten der Tierwelt, die alle die Kraft des Lichtes
sowie den Wind und die Kälte fürchten müssen, finden hier stets 30
die für sie günstigsten Lebensbedingungen. Die ununterbro-
chene Zersetzung des Humus erzeugt soviel Wärme, dass die
Temperatur der Bodendecke auch im Winter nicht unter O
Grad herabsinkt. Für die Eier bietet das Waldmoos ein gleichmässig warmes und feuchtes Nest. Nach 25 bis 26 Tagen sind 35
unter dem Einfluss der Wärme die Schnecken zum Ausschlüpfen
reif. Was die vermeintliche „Stumpfsinnigkeit" der Schnecken
betrifft, so sei nur auf ihren *feinen Geruch-* und *Geschmacksinn*
verwiesen. Fährt man mit dem Stengel des Ruprechtskrautes

die **Apfelsine** / die **Schale**
orange / skin, peel

quer diagonal, across

der **Weg** / die **Richtung** path / direction, course

kriechen to crawl, creep

die **Weinbergschnecke** edible snail (*Helix pomatia*), "vineyard snail"

umkehren to turn back

der **Abstand** distance

wittern to smell, sense

das **ätherische Öl** ethereal (volaitle) oil, essential oil

wirr / **durcheinanderrütteln** wild, chaotic / to shake up together

auslegen to lay out, display

der **Kopfsalat** garden lettuce

strecken to stretch

der **Leib** body

richten to direct, aim

der **Fühler** feeler, antenna

das **Tasten** touching, feeling

das **Riechen** smelling, sensing (by scent)

ausserdem besides, also

der **Feinschmecker** gourmet

der **Züchter** breeder

enthalten to contain

der **Schutz** / das **Mittel** preservation, protection / means

der **Frass** animal feed; voracity; damage caused by feeding

oder mit einer Apfelsinenschale quer über die Wegrichtung einer kriechenden Weinbergschnecken, so kehrt diese schon in einigem Abstand um. Die Schnecke wittert die Dämpfe des ätherischen Öles. Wirr durcheinandergerüttelte Weinbergschnecken suchen ausgelegten Kopfsalat mit weit vorgestrecktem 5 Leib und vorwärts gerichteten Fühlern auf dem kürzesten Wege zu erreichen. Die Fühler dienen gleichzeitig zum Tasten und zum Riechen. Das lange Fühlerpaar trägt ausserdem die Augen. Der Geschmack sitzt hauptsächlich in den Lippen. Was für Feinschmecker die Schnecken sind, weiss jeder Schneckenzüch- 10 ter. Zahlreiche Pflanzen enthalten Schutzmittel gegen Schneckenfrass.

12

WE AND THE FOREST

vielseitig many-faceted
die Bedeutung significance
liefern to supply, provide
**das Arzneikraut (die Arznei /
das Kraut)** medicinal herb
(medicine / herb)
das Heilkraut medicinal (*or*
"healing" herb)
das Wildbret game, venison
das Pelzwerk furs
dazu beitragen to contribute
toward
entscheidend decisively, critically
der Wasserhaushalt water
economy
regeln to regulate
das Gebiet area, region
der Niedersch ag precipitatioh
auffallen to strike, be obvious
das Zurückhalten retention
abfliessen to flow off
das Waldmoos / die Decke
forest moss / cover
der Ausgleich balance,
compensation
die Feuchtigkeit / der Gehalt
moisture / content
schaffen to create, produce
der Befestiger fastener,
strengthener
der Unverstand want of understanding (*or* judgment), impru-
dence
**die Gewinnsucht (der Gewinn /
die Sucht)** greed (profit /
mania, rage)

vernichten to annihilate
der Schaden damage
erleiden to endure, suffer, bear
abschreckend frightening,
horrible, serving as warning
der Berg / der Hang mountain /
slope
abschwemmen to wash away,
float off
nackt naked
der Fels rock, cliff
zutage treten to crop out, appear
die Stelle place
das Wiederaufforsten reafforesta-
tion
völlig completely
hinwegfegen über to sweep out
over
aufkommen lassen to allow to
grow (up)
der Baum / der Wuchs tree /
growth
das Gesetz law
missachten to disregard
das Geschlecht generation
unermesslich enormous, incalcu-
lable
Ist . . . so If . . . then
angewiesen sein auf to depend on
der Bedarf need, requirement
das Ausland abroad, foreign
country
decken to cover
abhängig dependent
verdienen to earn
das tägliche Brot daily bread

12

WIR UND DER WALD*

Der Wald ist für uns Menschen von einer vielseitigen Bedeutung. Er liefert uns Holz, Früchte, Arznei- und Heilkräuter, ferner Wildbret und Pelzwerk. Der Wald trägt aber auch entscheidend dazu bei, den Wasserhaushalt einer ganzen Landschaft zu regeln. In waldreichen Gebieten sind die Niederschläge 5 auffallend grösser als in waldarmen. Ferner wird durch das Zurückhalten des abfliessenden Wassers durch die Waldmoosdecke ein wertvoller Ausgleich im Feuchtigkeitsgehalt des Bodens geschaffen. Ganz langsam rinnt das Wasser zu Tal und durchnässt die Landschaft auch noch in niederschlagsär- 10 meren Zeiten. Der Wald ist ferner der Befestiger des fruchtbaren Bodens. Wenn ein Volk aus Unverstand und Gewinnsucht seine Wälder vernichtet, dann muss es früher oder später selbst den Schaden erleiden. Ein abschreckendes Beispiel ist das Karstgebirge. Dort wurde nach der Vernichtung der 15 Wälder die fruchtbare Erde von den Berghängen abgeschwemmt, so dass die nackten Felsen zutage traten. An solchen Stellen ist ein Wiederaufforsten völlig unmöglich. Die rauhen Winterstürme fegen nun ungehindert über das Land hinweg und lassen keinen Baumwuchs mehr aufkommen. So 20 kann ein Volk inmitten seines Landes kostbaren Boden verlieren, wenn es die Gesetze der Natur missachtet. Ein solcher Schaden ist für die kommenden Geschlechter unermesslich gross. Ist ein Volk darauf angewiesen, seinen Bedarf an Holz aus dem Auslande zu decken, so wird es dadurch abhängig von fremden Völkern. 25 Ausserdem verdienen viele Leute durch die Arbeit im Walde ihr tägliches Brot. Vor dem ersten Weltkrieg waren nicht weniger

* From: Dr. J. Graf und M. Wehner, *Der Waldwanderer*. 1954. Pp. 9–10. By kind permission of J. F. Lehmanns Verlag, München.

ständig permanent
beschäftigen to occupy, engage, employ
vorübergehend temporary, transitory
das Holz / das Fällen wood / felling
der Unterhalt livelihood
der Lieferant supplier, purveyor
der Spender distributor, dispenser
die Bedeutung significance
der Gesundbrunnen fountain of health; mineral well
der Leib body
die Seele soul
die Erquickung refreshment, animation, revival
die Genesung recovery, convalescence
sich erholen to recover
der Alltag every day (routine), daily commonplace life
die Mühe effort, toil
der Einfluss influence
ausüben to exercise, exert (influence)
das Gemüt spirit, disposition, temper
der Beunruhigte one who is disturbed, troubled
der Gleichklang harmony
der Bedrückte one who is oppressed, depressed
spenden to dispense, bestow
der Lebensmut vital energy, *élan vital*

aufgeschlossen alert, bright
stimmen to dispose, put one in (a particular) humor
heiter cheerful, serene
verspüren to perceive
das Dämmerlicht dusk, twilight
geheimnisvoll mysterious
der Zauber magic
der Erwachsene adult
ahnen to sense, guess
der Zusammenhang context, association
die Erscheinung phenomenon
die Anzahl number, quantity
darstellen to (re)present
das Zusammenwirken harmony, cooperation
untrennbar inseparable
beständig constant, continual
das Werden und das Vergehen coming (into being) and passing (away)
das Einzelwesen individual (being)
die Bestimmung determination, destiny
die Fortdauer continuance, duration, permanence
in sich tragen to contain
der Riese giant
hegen to shelter, nurse
die Verbindung union
der Nachfahr descendant
die Ehrfurcht respect, awe, reverence
ernähren to nourish, support

als 200 000 Personen ständig in den deutschen Wäldern beschäftigt. Hinzu kommen alle diejenigen, die vorübergehend durch Holzfällen oder in der Holzindustrie ihren Lebensunterhalt verdienen.

Der Wald ist aber nicht nur als Holzlieferant, als Feuchtig- 5
keitsspender und als Brecher der Stürme für ein Land von grösster Bedeutung, sondern er ist auch ein ständiger Gesundbrunnen für Leib und Seele der Menschen. In der reinen und frischen Luft unserer Wälder sucht und findet der Kranke Erquickung und Genesung, und der Gesunde erholt sich von des Alltags Hast 10
und Mühe. Einen tiefen und mächtigen Einfluss übt der Wald vor allem auch auf das Gemüt des Menschen aus. Dem Beunruhigten gibt er wieder den Gleichklang seiner Seele. Dem Bedrückten spendet er neuen Lebensmut und den aufgeschlossenen Menschen stimmt er froh und heiter. Die Kindesseele verspürt im 15
Dämmerlicht des Waldes den geheimnisvollen Zauber der deutschen Sagen und Märchen, und der Erwachsene ahnt den tiefen inneren Zusammenhang aller Erscheinungen in der Natur. Denn der Wald ist mehr als eine bestimmte Anzahl von Bäumen. Er stellt ein inniges Zusammenwirken von Pflanzen, Tieren und 20
Boden dar, die zusammen ein untrennbares Ganzes bilden, das trotz des beständigen Werdens und Vergehens seiner Einzelwesen die Bestimmung zu ständiger Fortdauer in sich trägt. Die Baumriesen grüssen aus der Zeit unserer Väter. Genau so werden die noch jungen Waldbäume, die wir jetzt pflanzen und hegen, eine 25
lebendige Verbindung zu unseren Nachfahren sein, die erst in 100 Jahren und noch später mit derselben Ehrfurcht wie wir den Boden betreten, der uns alle trägt und ernährt.

13

TARO AND MANIOC

(Laying Out and Establishment of the Hospital Plantation)

die **Familie der Araceen** *araceae,* a plant family
mächtig huge
das **Blatt** leaf
die **Gegend** area, region
das **Kilo** (das **Kilogramm**) 2.2 pounds
wiegen to weigh
die **Wurzel** root
das **Hauptnahrungsmittel / die Nahrung** staple food item / food
der **Eingeborene** native (inhabitant)
in **Masse** in mass (quantity)
hingegen whereas, on the contrary
kilometerweit for kilometers
die **Pflanzung** plantation
wandeln to wander
die **Kassawa / der Strauch** cassava / bush, shrub
ertragreichste highest yield(ing)
die **Tropen** tropics
gedeihen to thrive
die **Nutzpflanze** useful plant
der **Anbau** cultivation
geschehen to occur
in der Art in such a way

der **Stengel** stalk, stem
abhauen to cut off
schief slanting
entwickeln to develop
mächtig powerful
knollig tuberous, bulbous, knotty
zugrunde gehen to go to ruin
enthalten to contain
die **Blausäure** prussic acid
der **Brei** mush, purée
die **Stange** stick, bar
einschlagen to wrap up
sich halten to hold, endure, last
bekanntlich as is known
gewinnen (gewann gewonnen) to obtain, extract
vorläufig provisionally, for the present
verzichten to forego
das **Wildschwein** wild boar
ausgraben to dig up or out, excavate
der **Rand** margin
der **Urwald** virgin forest, jungle
aussichtslos hopeless, unpromising
einhegen to enclose, fence in
hüten to protect
der **Ertrag** yield, produce

13

TARO UND MANIOK

(Das Anlegen der Pflanzung des Spitals*)

Taro (Colocasia antiquorum) aus der Familie der Araceen, ist eine Pflanze mit mächtigen Blättern. In gewissen Gegenden Äquatorialafrikas ist ihre oft mehrere Kilos wiegende Wurzel das Hauptnahrungsmittel der Eingeborenen. Im Ogowegebiet wird sie noch nicht in Masse gepflanzt. In Kamerun hingegen kann 5 man kilometerweit durch Taropflanzungen wandeln.

Maniok (Manihot), der Kassawastrauch, eine Euphorbiacee, ist mit der Banane wohl die ertragreichste in den Tropen gedeihende Nutzpflanze. Der Anbau geschieht in der Art, dass man von einem Maniokstrauch Stengel abhaut und diese schief in den 10 Boden legt. Aus einem solchen Stengel entwickelt sich langsam ein mächtiger Strauch mit grossen knolligen Wurzeln. Von diesen Wurzeln kann man wegnehmen, ohne dass der Strauch zugrunde geht. Man wässert sie, damit sie die in ihnen enthaltene Blausäure verlieren, und bereitet aus ihnen einen Brei, der 15 getrocknet in Stangen geformt wird und sich in Blättern eingeschlagen einige Tage hält. Bekanntlich wird aus der Maniokwurzel der Tapioka gewonnen.

Auch auf Maniok müssen wir vorläufig verzichten. Die Wildschweine lieben die Wurzel auch und graben sie aus. Am 20 Rande des Urwaldes ist die Kultur aussichtslos. Nur Pflanzungen, die eingehegt sind oder des Nachts gegen Wildschweine gehütet werden, geben Ertrag.

* From: Dr. Albert Schweitzer, *Briefe aus Lambarene* 1924–1927. By kind permission of C. H. Beck'sche Verlagsbuchhandlung, München.

TOADSTOOLS: GENERAL CONSIDERATION

der Giftpilz (das Gift / der Pilz) toadstool (poison / fungus, mushroom)

verhältnismässig relatively

zudem besides, in addition

beissen to bite, smart

der Geschmack taste

geniessen (genoss genossen) to enjoy, have pleasure

das Abkochen boiling (down); decocting

das Weggiessen pouring away

schmackhaft tasty

s.S. (siehe Seite) see page

entgiften to detoxify

der Schaden damage

der Knollenblätterschwamm *Amanita* sp. toadstool

der Fliegenpilz *Amanita muscaria* toadstool

der Pantherschwamm *Amanita pantherina* toadstool

die Ausnahme exception

die Lorchel (die Speiselorchel) *Helvella esculenta* toadstool

der Satanpilz *Boletus satanas* toadstool

unauffällig inconspicuous

erzielen to obtain

die Vorsichtsmassnahme precautionary measure

die Vergiftung poisoning

weitgehend extensive

die Verwechs(e)lung mistake, confusion

essbar edible

hinweisen (wies . . . hin, hingewiesen) to refer, point to

wirksam effective, active

wirksame Bestandteile / der Bestandteil active ingredients / ingredient, component

der Abschnitt paragraph, section, division

die Aufnahme taking, ingestion

das Pilzgericht / das Gericht mushroom (prepared as food: "dish") / dish, course

erkennen to recognize

die Erscheinung symptom

das Kratzen scratching

der Magen stomach

die Gegend region

heftig vigorous, violent

der Fall case

verlaufen to run a course, proceed

das Auftreten appearance

baldig early, speedy

die Behandlung treatment

die Entfernung removal

der Magendarmkanal gastrointestinal tract

die Aussicht prospect

günstig favorable

14

ALLGEMEINES ÜBER GIFTPILZE*

Die Zahl der Giftpilze ist verhältnismässig gering. Viele giftige Pilze haben zudem einen unangenehmen, bitteren oder beissenden Geschmack, so dass sie schon aus diesem Grunde selten genossen, oder, soweit sie durch genügend langes Abkochen und Weggiessen des Kochwassers schmackhaft zu machen und gleich- 5 zeitig zu entgiften sind, ohne Schaden gegessen werden. Leider haben aber gerade die gefährlichsten Giftpilze, die Knollenblätterschwämme, weiter der Fliegenpilz, der Pantherschwamm, die Lorchel und der Satanpilz einen unauffälligen oder sogar sehr guten Geschmack; auch ist bei diesen Pilzen, mit Ausnahme 10 der Lorchel (s. S. 252), eine Entgiftung durch Abkochen nicht zu erzielen, oder wie bei der Lorchel, nur unter bestimmten Vorsichtsmassnahmen möglich.

Da die meisten Pilzvergiftungen durch Verwechslung essbarer mit giftigen Pilzen vorkommen, ist im folgenden möglichst weit- 15 gehend auf die Unterschiede zwischen den giftigen und den mit ihnen öfter verwechselten essbaren Pilzen hingewiesen worden. Über die wirksamen Bestandteile der Giftpilze siehe in den Abschnitten über die einzelnen Pilze.

Die Pilzvergiftungen geben sich meist bald (innerhalb $\frac{1}{2}$–1–2 20 Stunden) nach der Aufnahme des Pilzgerichtes zu erkennen, die ersten Erscheinungen sind häufig Kratzen im Halse, Brennen und Schmerzen in der Magengegend; dann folgt eine heftige, in schweren Fällen unter dem Bilde der Cholera verlaufende Gastroenteritis. Bei solchem frühen Auftreten der ersten Ver- 25 giftungserscheinungen ist die Möglichkeit baldiger Behandlung (Entfernungen des Giftes aus dem Magendarmkanal, symptomatische Behandlung) gegeben und damit die Aussicht auf günsti-

* By kind permission: Entnommen aus Gessner, *Die Gift- und Arzneipflanzen von Mitteleuropa*. Pp. 272–273. Erschienen bei Carl Winter, Heidelberg 1931 (zweite völlig neu bearbeitete und erweiterte Auflage 1953).

der Ausgang issue, result
verhältnismässig relatively
**aufheben (hob . . . auf, aufgeho-
ben)** to exclude

derartig such, of that kind
erfolgen to occur, ensue
im übrigen however; besides; by
the way

gen Ausgang der Vergiftung verhältnismässig gross. Leider treten aber nach der Aufnahme gerade der giftigsten Pilze, der Knollenblätterschwämme, die Vergiftungserscheinungen erst sehr spät auf (nach 10–12 Std.), zu einer Zeit, wo die Giftstoffe bereits resorbiert sind und damit die Möglichkeit der Giftentfernung aus dem Magendarmkanal praktisch aufgehoben ist. Deshalb sind derartige Vergiftungen besonders gefährlich, die Behandlung erfolgt meist erst spät und bietet bedeutend weniger Aussicht auf einen günstigen Ausgang (im übrigen s. S. 275).

TOBACCO

nach according to
der Gesandte envoy, minister,
   ambassador
der Eingeborene native
   inhabitant
einjährig annual
der Stengel stalk, stem
das Blatt leaf
drüsig-behaart covered with
   glandular hair
verästelt branched
zerstreut scattered
sitzend sessile
zugespitzt acuminate, acute,
   pointed
das Deckblättchen outer leaf
die Blüte blossom
endständig terminal
die Rispe panicle

der Kelch calyx
5spaltig five-cleft, five-lobed, five-
   parted
die Blumenkrone corolla
trichterförmig infundibular,
   funnel-shaped
der Saum fimbris, fringe
der Ansatz attachment, insertion
eiförmig oval, oblong, egg-shaped
die Klappe lid, valve
zweiklappig two-valved
die Kapsel capsule
nierenförmig reniform, kidney-
   shaped
der Samen seed
ursprünglich originally
z. Z. (zur Zeit) at the time
die Pflanzung plantation
die Zierpflanze ornamental plant

15

NICOTIANA TABACUM L., TABAK*

Virginischer Tabak

Nicotiana nach Jean Nicot, dem französischen Gesandten in Portugal, der 1560 zuerst Tabaksnamen nach Paris brachte. *Tabacum* von Tabako, dem amerikanischen Eingeborenennamen für die Tabakpfeife.

Botanik: Einjährige, bis 2 m hohe Pflanze; Stengel, wie die 5
Blätter drüsig-behaart, wenig verästelt; Blätter zerstreut, die untersten länglichelliptisch, die darauf folgenden länglich, sitzend, zugespitzt, die oberen kleiner werdend bis zu lanzettförmigen Deckblättchen. Blüten in endständiger Rispe, Kelch 5spaltig, Blumenkrone trichterförmig, mit 5spaltigem Saum, am 10
Ansatz grünlich, sonst karminrot. Frucht eiförmige, zweiklappige Kapsel mit vielen kleinen, braunen, ei- oder nierenförmigen Samen.

Ursprünglich im tropischen Süd-Amerika, z. Z. des Kolumbus auf den westindischen Inseln, seither auch in Europa 15
kultiviert; in Deutschland meist in Pflanzungen, seltener als Zierpflanze.

Blütezeit: Von August bis Oktober.

*By kind permission: Entnommen aus Gessner, *Die Gift- und Arzneipflanzen von Mitteleuropa*. P. 23. Erschienen bei Carl Winter, Heidelberg 1931 (zweite völlig neu bearbeitete und erweiterte Auflage 1953).

16

ANATOMY

die **Lehre**   discipline, science, study

der **Bau**   construction

die **Zusammensetzung**   structure, formation

erforschen   to investigate, explore

eindringen   to penetrate

die **Zergliederung**   dissection, analysis

die **Leiche**   cadaver

sich **erschöpfen in**   to exhaust itself (*or* end) with

der **Fehlschluss**   false conclusion, false inference

annehmen   to assume, suppose

die **Verbindung**   compound

beschreiben   to describe

verwechseln   to confuse, mistake

die **Forschung / das Mittel**   research, investigation / means

das **Ziel**   goal, purpose

gleichsetzen   to equate

die **Gestalt**   form, shape, aspect

die **Bildung**   formation, construction

die **Umbildung**   transformation

das **Ergebnis**   result

sich **zufrieden geben mit**   to rest content with, acquiesce in

zumal   especially as, since

das **Gefüge**   structure, inner order

sinnvoll   meaningful, significant

begreifen   to grasp, comprehend

das **Verständnis**   understanding

das **Gewonnene**   that which is won (*or* gained)

sammeln   to collect

notwendig   necessary

die **Voraussetzung**   assumption, prerequisite

die **Betrachtung**   consideration, view

die **Sinnbezogenheit**   logical relationship

16

ALLGEMEINE ANATOMIE*

Die Anatomie ist die Lehre vom Bau des menschlichen Körpers. Ein möglicher Weg, seine Zusammensetzung zu erforschen und in das Innere einzudringen, ist die Zergliederung der Leiche. Von dieser alten Methode hat die Anatomie ihren Namen Zergliederungskunst. Viele glauben daher, dass die Aufgabe der 5 Anatomie sich in der Präparation von Leichen erschöpfe, dass der Bau des menschlichen Körpers längst bekannt sein müsse und somit die Anatomie als Wissenschaft keine weiteren Probleme mehr vor sich sehe. Dieser Fehlschluss wäre das gleiche, als wenn man annehmen wollte, dass die Chemie am Ende sei, 10 wenn alle Elemente und chemischen Verbindungen beschrieben sind. Man verwechselt also ein Forschungsmittel mit dem Forschungsziel, wenn man Anatomie gleich Zergliederungskunst setzt. Das Ziel der menschlichen Anatomie ist die *Morphologie* des Menschen: „Die Morphologie soll die Lehre von der Gestalt, 15 der Bildung und Umbildung der organischen Körper enthalten ... " (Goethe).

Mit den Ergebnissen der Zergliederung allein können wir uns nicht zufrieden geben, zumal sie nur vom toten Körper gewonnen sind. Das Ziel der Anatomie ist vielmehr, die Form und 20 das Gefüge des lebenden Körpers sinnvoll zu begreifen. Dieses Verständnis bringt uns nicht die Zergliederung allein.

Wenn wir das durch die Zergliederung Gewonnene sammeln, ordnen und beschreiben, so kommen wir nur zu einer beschreibenden Anatomie. Sie beginnt damit, dass sie ihre Objekte als 25 statische Formen beschreibt und nach Art eines Katalogs ordnet. Das ist die notwendige Voraussetzung jeder weiteren Forschung. Mit dieser rein beschreibenden Betrachtung ist aber die Sinn-

* From: Benninghoff-Goerttler, *Lehrbuch der Anatomie des Menschen.* I. Band, 8. Auflage. 1961. P. 1. By kind permission of Urban & Schwarzenberg Verlag, München und Berlin.

der **Einzelteil**   individual part
die **Beurteilung**   judgment, evaluation
der **Massstab**   scale, standard, measure
das **Glied**   limb, member
von **sich aus**   *per se*
begreifen   to comprehend
die **Beziehung**   relation(ship), connection
die **Untersuchung**   examination

die **Entwicklung**   development
die **Vergleichung**   comparison
entsprechend   corresponding
verwandt   related
die **Stammesgeschichte** / der **Stamm**   phylogeny / ancestor, stock, race
der **Leistungszusammenhang** / die **Leistung**   functional whole / output, achievement

bezogenheit der Einzelteile nicht ohne weiteres gegeben. Wenn wir die Teile sinnvoll begreifen wollen, so müssen wir für ihre Beurteilung nach einem Massstab suchen, da kein lebendes Glied von sich aus zu begreifen ist, sondern nur aus seinen Beziehungen heraus. Dieses Verständnis kann gewonnen werden 5 durch die Untersuchung der Entwicklung des Individuums (Ontogenese), durch die Vergleichung der Formteile mit entsprechenden Teilen verwandter Tiere (vergleichende Anatomie und Stammesgeschichte) oder aus den Beziehungen der Glieder zum ganzen Organismus, mit dem sie in einem Leistungszusammen- 10 hang stehen.

17

DER MENSCHLICHE KÖRPER

(Corpus humanum)

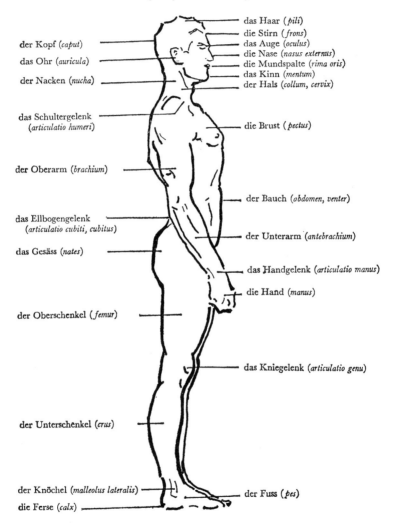

das Haar *(pili)*

die Stirn *(frons)*

das Auge *(oculus)*

die Nase *(nasus externus)*

die Mundspalte *(rima oris)*

das Kinn *(mentum)*

der Hals *(collum, cervix)*

der Kopf *(caput)*

das Ohr *(auricula)*

der Nacken *(nucha)*

das Schultergelenk
(articulatio humeri)

die Brust *(pectus)*

der Oberarm *(brachium)*

der Bauch *(abdomen, venter)*

das Ellbogengelenk
(articulatio cubiti, cubitus)

der Unterarm *(antebrachium)*

das Gesäss *(nates)*

das Handgelenk *(articulatio manus)*

die Hand *(manus)*

der Oberschenkel *(femur)*

das Kniegelenk *(articulatio genu)*

der Unterschenkel *(crus)*

der Knöchel *(malleolus lateralis)*

der Fuss *(pes)*

die Ferse *(calx)*

18

DAS MIKROSKOP*

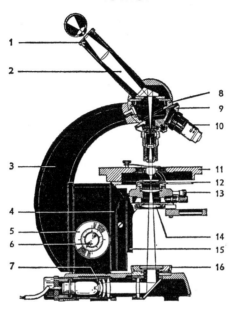

1. **das Okular** Eyepiece
2. **der Schrägtubus** Inclined tube
3. **der Tubusträger** Tube support
4. **der Tischträger** Stage support
5. **der Knopf für Grobtrieb** Coarse adjustment knob
6. **der Knopf für Feineinstellung** Fine adjustment knob
7. **das Beleuchtungsrohr mit Kollektor** Illuminating tube with collector
8. **der Stativknopf** Tube head
9. **der Revolver** Revolving nosepiece
10. **das Objektiv** Objective
11. **der Objekttisch** Stage
12. **die Kondensor-(Apertur-) Blende** Condenser (aperture) diaphragm
13. **der Knopf zum Einschalten der Kondensorfrontlinse** Knob for swinging condenser front lens in and out
14. **die Kondensor-Hilfslinse** Auxiliary condenser lens
15. **der Kondensorträger** Condenser carrier
16. **der Blendeneinsatz** Diaphragm insert

* Photograph by kind permission of Carl Zeiss, Oberkochen/Württ.

HIPPOCRATES

Case Histories

ergreifen (ergriff ergriffen) to seize, affect
schmerzhaft painful
der Stuhlgang bowel movement
gallenartig bilious
die Verschlimmerung deterioration, worsening
das Bluten bleeding
das Nasenloch nostril
der Schweiss sweat
sich setzen to settle out
der Guss shower, pouring, gush
zu klarem Verstand kommen to return to one's senses
der Rückfall relapse

heftig violent
die Zehe toe
sich hinlegen to lie down
herumgehen (ging … herum, ist herumgegangen) to wander, walk around
der Schüttelfrost chills
die Übelkeit nausea
die Anschwellung swelling
die Umgegend region
der Knöchel ankle
die Rötung redding
die Spannung strain, tension
die Blatter pustule
wahnsinnig mad
der Abgang loss
der Darm bowel
die Einlieferung being brought in, admittance

schmausen to feast
ausbrechen to regurgitate, bring up
die Beschwerde complaint
die Entzündung inflammation

19

HIPPOKRATES*

Krankengeschichten

Meton vom Fieber ergriffen. Schmerzhafte Schwere in den Beinen. Am zweiten Tag hatte er ziemlich viel Wasser getrunken. Danach guter Stuhlgang. Am dritten Tag schwerer Kopf. Stuhl dünn, gallenartig, rötlich. Am vierten allgemeine Verschlimmerung. Zweimal auf der rechten Seite leichtes Nasenbluten. 5 Die Nacht schlccht. Stuhl ähnlich wie am dritten Tag. Urin schwarz. Darin schwärzliche schwimmende Stücke, die nicht zusammenhingen und sich nicht setzten. Am fünften starkes ungemischtes Nasenbluten aus dem linken Nasenloch. Dann Schweiss und Krise. Nach dieser schlaflos. Phantasierte. Urin 10 dünn und schwärzlich. Dann brauchte er Wassergüsse über den Kopf. Danach schlief er und kam wieder zu klarem Verstand. Dieser Kranke hatte keinen Rückfall, aber nach der Krise oft starkes Nasenbluten.

Kriton auf Thasos hatte zuerst heftige Schmerzen am Fuss, 15 die von der grossen Zehe ausgingen. Doch legte er sich nicht zu Bett, sondern ging herum. Aber am selben Tag noch musste er sich hinlegen. Schüttelfrost, Übelkeit, konnte kaum etwas warm werden; in der Nacht Phantasieren. Am zweiten Anschwellung des ganzen Fusses und in der Umgegend des Knö- 20 chels eine Rötung unter Spannungen. Kleine schwarze Blattern. Hohes Fieber. Wurde wahnsinnig. Abgang aus dem Darm reichlich, ungemischt, gallenartig. Er starb am zweiten Tag nach der Einlieferung.

Ein Mensch, der schon Fieber hatte, schmauste und trank 25 zuviel. In der Nacht brach er alles aus. Hohes Fieber. Beschwerden in der rechten Seite. Schwache Entzündung im Innern

* From: Wilhelm Capelle, *HIPPOKRATES/Fünf auserlesene Schriften.* 1955. Pp. 177, 178, 180, 200. By kind permission of Artemis Verlag, Zürich.

die **Zunge** tongue
allenthalben everywhere
ölartig oil-like
gleichmässig regular
das **Gerede** talk
sich beherrschen to control oneself
der **Einlauf** enema
feucht moist
aufrühren to stir up
abgehen to come out
das **Frösteln** chills, shivering
das **Frieren** freezing
der **Speichel / der Fluss** saliva /
flow
das **Irresein** madness

kahlköpfig bald-headed
der **Oberschenkel** thigh

angewandt applied
versagen to fail
die **Hitze** heat
sich verhalten to behave, keep
anhalten to continue, hold on
nachlassen to abate, cease
das **Befinden** state (of health),
condition
die **Menge** amount
aufhören to cease
völlig complete
die **Geistesstörung (der Geist / die
Störung)** mental derangement
(mind / disturbance)
aufregen to excite
der **Zustand** condition
das **Hin- und Herwerfen** tossing
about
das **Lager** sickbed

des Körpers. Schlechte Nacht. Urin anfänglich dick und rot.
Wenn er länger stand, setzte er sich nicht. Zunge trocken.
Kein starker Durst. Am vierten hohes Fieber. Beschwerden
allenthalben. Am fünften viel ölartiger, gleichmässig flüssiger
Urin. Hohes Fieber. Am sechsten gegen Abend starkes Phan- 5
tasieren. Kein Schlaf in der Nacht. Am siebten allgemeine
Verschlimmerung. Urin ähnlich wie vorher. Viel Gerede.
Konnte sich nicht beherrschen. Aus dem Darm ging durch
Einlauf eine feuchte aufgerührte Masse mit Würmern ab.
Nacht schlecht, am frühen Morgen Frösteln. Hohes Fieber. 10
Warmer Schweiss. Schien fieberfrei zu werden. Wenig Schlaf,
danach Frieren. Speichelfluss. Gegen Abend viel Phantasieren.
Kurz darauf brach er wenige schwarze gallenartige Masse aus.
Am neunten Frieren, viel Phantasieren, kein Schlaf. Am zehn-
ten Schmerz in den Beinen. Allgemeine Verschlimmerung. 15
Irresein. Starb am elften Tage.

In Larisa bekam ein kahlköpfiger Mann plötzlich Schmerzen
im rechten Oberschenkel. Alle angewandten Mittel versagten.
Am ersten Tag hohes Fieber mit grosser Hitze. Verhielt sich
ruhig. Aber die Schmerzen hielten an. Am zweiten liessen die 20
Beschwerden im Schenkel nach. Aber das Fieber stieg. Ziemlich schlechtes Befinden. Schlief nicht. Kalte Hände und
Füsse. Schlechter Urin ging in Menge ab. Am dritten hörte
zwar der Schmerz im Schenkel auf. Es trat aber völlige Geistesstörung ein und ein ganz aufgeregter Zustand; viel Hin- und 25
Herwerfen auf seinem Lager. Am vierten gegen Mittag starb er.

THE HIPPOCRATIC OATH

Apollon Apollo, Greek god
Asklepios Asclepius, son of Apollo
Hygieia Hygeia ("health"),
  daughter of Asclepius
Panakeia Panacea ("universal
  remedy"), daughter of Asclepius
die Göttin goddess
zu Zeugen anrufen to call as
  witness
die Niederschrift document
erfüllen to fulfill, comply (with)
der Anteil share
in Schulden geraten to run into
  debt, contract debts
unterstützen to support
gleichhalten to consider the same
falls in case
die Vergütung compensation,
  reimbursement
die schriftliche Verschreibung
  written promise
die Vorschrift precept, instruction
der Vortrag lecture, discourse
die Belehrung instruction
teilnehmen to participate

einschreiben to enroll
der Jünger disciple
der Grundsatz principle
die Weise manner, way
das Heil welfare; healing
anwenden to utilize
dagegen but (on the other hand)
das Verderben ruin, corruption
der Schaden damage, injury
die Arznei medicine, medicinal
herbeiführen to cause
darum bitten to ask for
der Rat advice, counsel
die Richtung direction
erteilen to import, provide
das Mittel means
die Vernichtung destruction
keimen to germinate
lauter pure, undefiled
der Stein / der Leidende calcu-
  lus, "stones" / sufferer
ausüben to practice, exercise
betreten to tread, set foot in
unter Meidung in avoiding
geschlechtlich sexual

DER HIPPOKRATISCHE EID*

Ich schwöre bei Apollon, dem Arzt, und Asklepios und Hygieia und Panakeia und allen Göttern und Göttinnen, die ich zu Zeugen anrufe, dass ich diesen Eid und diese Niederschrift nach bestem Wissen und Können erfüllen werde.

Ich werde den, der mich diese Kunst gelehrt hat, gleich meinen 5 Eltern ehren und ihm Anteil an meinem Leben geben, und wenn er in Schulden geraten sollte, ihn unterstützen und seine Söhne meinen Brüdern gleichhalten und sie diese Kunst lehren, falls sie den Wunsch haben sollten, sie zu erlernen, und zwar ohne jede Vergütung und schriftliche Verschreibung, und an Vor- 10 schriften, am Vortrag und aller sonstigen Belehrung werde ich meine Söhne und die meines Lehrers teilnehmen lassen, wie auch die mit mir eingeschriebenen Jünger der Kunst, die durch den ärztlichen Eid gebunden sind, aber niemanden sonst.

Und ich werde die Grundsätze der Lebensweise nach bestem 15 Wissen und Können zum Heil der Kranken anwenden, dagegen nie zu ihrem Verderben und Schaden.

Ich werde auch niemandem eine Arznei geben, die den Tod herbeiführt, auch nicht, wenn ich darum gebeten werde, auch nie einen Rat in dieser Richtung erteilen. Ich werde auch keiner 20 Frau ein Mittel zur Vernichtung keimenden Lebens geben.

Ich werde mein Leben und meine Kunst stets lauter und rein bewahren.

Ich werde auch nicht Steinleidende operieren und Männern, die solche Praktiken ausüben, aus dem Wege gehen. 25

In welche Häuser ich auch gehe, die werde ich nur zum Heil der Kranken betreten, unter Meidung jedes wissentlichen Unrechts und Verderbens und insbesondere jeder geschlechtlichen

* From: Wilhelm Capelle, *HIPPOKRATES/Fünf auserlesene Schriften*. 1955. Pp. 211–212. By kind permission of Artemis Verlag, Zürich.

die Handlung   action, deed, transaction

gegenüber   toward

weiblich   female

der Verkehr   communication

erfahren   to learn, hear

mitteilen   to impart, communicate

schweigen   to keep silence

die Überzeugung   conviction

geheimhalten   to hold secret

treu halten   to remain faithful

entweihen   to desecrate

der Segen   blessing

hochgeachtet   highly respected

verletzen   to injure

eidbrüchig (eidbrüchig werden)   perjured (to perjure the oath)

das Gegenteil   opposite, contrary

treffen   to affect, befall, fall upon

Handlung gegenüber weiblichen Personen wie auch gegenüber Männern, Freien und Sklaven.

Was ich in meiner Praxis sehe oder höre oder ausserhalb dieser im Verkehr mit Menschen erfahre, was niemals anderen Menschen mitgeteilt werden darf, darüber werde ich schweigen, in 5 der Überzeugung, dass man solche Dinge streng geheimhalten muss.

Wenn ich nun diesen Eid treu halte und nicht entweihe, dann möge ich von meinem Leben und meiner Kunst Segen haben, bei allen Menschen zu jeder Zeit hochgeachtet; wenn ich ihn 10 aber verletze und eidbrüchig werde, dann möge mich das Gegenteil hiervon treffen.

SLEEPING SICKNESS

der Eingeborene native (inhabitant)
beobachten to observe
der Fall case
beschreiben to describe
erst only
umfangreich extensive
anstellen to make, undertake
zunächst first (of all)
vorangehen to precede
der Gedanke thought, idea
das Fieber / der Zustand fever / state, condition
sich hinziehen to be protracted, extend
in Verbindung bringen to associate, connect
der Erreger causative agent
die Untersuchung examination
der Kranke sick person

erwarten to expect
beweglich motile
das Lebewesen living organism
drehen to turn, twist
der Bohrer borer
vergleichen (verglich verglichen) to compare
der Leiter leader, director
die Erforschung investigation
die Reihe series, sequence, set
die Veröffentlichung publication
in Kenntnis in (the) knowledge, knowing
sich eine Frage vorlegen to ask oneself
das Gebiet area, region
ihrerseits on their own (initiative)
beweisen to prove, show
das Vorstadium preliminary stage

21

DIE SCHLAFKRANKHEIT*

Zum ersten Male wurde die Schlafkrankheit Anno 1803 nach unter den Eingeborenen von Sierra-Leone beobachteten Fällen beschrieben. Nachher wurde sie an Negern studiert, die aus Afrika nach den Antillen und nach Martinique gebracht worden waren. Erst in den sechziger Jahren stellte man umfangreiche ⁵ Beobachtungen über sie in Afrika selbst an. Sie führten zunächst nur zur näheren Beschreibung der letzten Phase der Krankheit. Dass dieser eine andere vorangehe, wusste man nicht. Niemand konnte auf den Gedanken kommen, Fieberzustände, die sich über längere Jahre hinzogen, mit Schlafkrankheit in Verbindung ¹⁰ zu bringen. Dies war erst möglich, als man bei beiden Erkrankungen denselben Erreger entdeckte.

Anno 1901 fanden die englischen Ärzte Ford und Dutton bei der mikroskopischen Untersuchung des Blutes von Fieberkranken in Gambia nicht die erwarteten Parasiten der Malaria, sondern ¹⁵ bewegliche kleine Lebewesen, die sie ihrer Form nach mit sich drehenden Bohrern verglichen und daher Trypanosomen (Bohrerkörper) benannten. Zwei Jahre später entdeckten die Leiter der englischen Expedition zur Erforschung der Schlafkrankheit im Ugandagebiete bei einer Reihe von Patienten ebenfalls be- ²⁰ wegliche kleine Lebewesen. In Kenntnis der Veröffentlichungen von Ford und Dutton legten sie sich die Frage vor, ob diese nicht mit den bei Fieberkranken aus dem Gebiete des Gambia gefundenen identisch wären, und untersuchten nun ihrerseits Fieberkranke, wobei sie denselben Erreger fanden, wie bei den ²⁵ Schlafkranken. Damit war bewiesen, dass das „Gambienische Fieber" nur ein Vorstadium der Schlafkrankheit ist.

* From: Dr. Albert Schweitzer, *Zwischen Wasser und Urwald*. 1921. By kind permission of C. H. Beck'sche Verlagsbuchhandlung, München.

RABIES

der **Biss** bite
tollwutkrank ill with rabies, rabid
übertragen to transmit
die **Niedergeschlagenheit** depression
die **Erregung** excitation, agitation
verletzen to injure
die **Stelle** place
die **Steigerung** increase
der **Schmerz** ache, pain
die **Schlaflosigkeit** insomnia
auftreten to appear, be found
schlingen / die **Beschwerde** to swallow / complaint, trouble
der **Versuch** attempt
schlucken (*see* **schlingen**)
quälen to torment
zusammenziehen to contract
der **Krampf** cramp
der **Schlund** / die **Muskulatur** throat, esophagus, gullet / musculature
der **Kehlkopf** larynx
sich geltend machen to make oneself (itself) felt
vermeiden to avoid
der **Versuch** attempt
die **Wasserscheu** hydrophobia
der **Reiz** stimulus
auslösen to cause, trigger
die **Atmung** respiration
der **Rumpf** trunk, torso
ausdehnen to extend

die **Angst** / der **Zustand** anxiety / condition, state
tobsuchtsartig "raving madness," rabies-like
die **Wut** / der **Ausbruch** rage / outbreak, fit
beherrschen to control
das **Krankheitsbild** aspect, diagnosis, symptomology
häufen to heap, accumulate
der **Anfall** attack, fit
eintreten to take place, set in
die **Erschöpfung** exhaustion
die **Ausnahme** exception
der **Erreger** causative agent
der **Speichel** saliva
erkranken to be taken ill
das **Grosshirn** cerebrum
z.B. (**zum Beispiel**) for example
nach Giemsa after Giemsa, i.e. according to Giemsa's staining method
färbbar stainable
das **Gebilde** structure, form
das **Einschlusskörperchen** / das **Körperchen** inclusion body / body, particle
nachweisen to show, demonstrate, prove
verdächtig suspicious
die **Untersuchung** examination
das **Gehirn** brain
das **Kaninchen** rabbit
das **Meerschweinchen** guinea pig

22

TOLLWUT*

Tollwut (Lyssa, Rabies) wird fast nur durch den Biss tollwutkranker Hunde oder Wölfe übertragen. Nach einer *Inkubationszeit* von 14 Tagen bis mehreren Monaten beginnt die Krankheit mit tiefer Niedergeschlagenheit oder hochgradigen nervösen Erregungen, oft mit Paraesthesien an der verletzten Körperstelle 5 und mit leichten Temperatursteigerungen, Kopfschmerz und Schlaflosigkeit. Nach 1–2 Tagen treten Schlingbeschwerden auf, indem bei jedem Versuch, zu schlucken, quälende zusammenziehende Krämpfe der Schlundmuskulatur, auch des Kehlkopfes, sich geltend machen. Die Kranken vermeiden deshalb, 10 trotz des grössten Durstes, jeden Versuch, zu trinken (Wasserscheu), schliesslich kann jeder äussere Reiz die Krämpfe auslösen, die sie auch auf die Atmungsmuskeln sowie die Muskeln des Rumpfes und der Extremitäten ausdehnen, Angstzustände, Delirien und tobsuchtsartige Wutausbrüche beherrschen das 15 Krankheitsbild. Nach einigen Tagen tritt unter gehäuften Krampfanfällen eine Erschöpfung ein und das Leiden endet ohne Ausnahme durch Kollaps in den Tod.

Der Erreger ist ein Virus, das sich im Speichel der erkrankten Tiere und vor allem in ihrem Zentralnervensystem findet. In 20 den Ganglienzellen des Grosshirns, z. B. des Pes hippocampi (Ammonshorn), lassen sich nach Giemsa färbbare kleine, intracellulär liegende rundliche Gebilde, die Negrischen Körperchen (Einschlusskörperchen), nachweisen. Die Diagnose bei dem der Tollwut verdächtigen Hunde wird durch mikroskopische 25 Untersuchung des Gehirns auf Negri-Körperchen gestellt und durch intramuskuläre oder subdurale Injektion der Gehirnemulsion bei Kaninchen, Ratte, Maus oder Meerschweinchen.

* From: F. Muller, O. Seifert, H. Frh. von Kress, *Taschenbuch der Medizinischen Diagnostik.* 67. Auflage. 1959. P. 729. By kind permission of Verlag J. F. Bergmann, München.

entdecken to discover
die Trocknung desiccation
das Rückenmark spinal cord
abschwächen to attenuate
neuerdings recently
das Verfahren process, procedure, method
entwickeln to develop
derartig such, of that kind
enthalten to contain
steigern to increase
einspritzen to inject
der Ausbruch outbreak
der Gebissene one who has been bitten
die Impfung inoculation, vaccination

eingerichtet set up, arranged, organized
die Lähmung lameness, paralysis (*Note:* **die Lähmungswut** *has also been called* **die Vampirentollwut**)
aufsteigen to ascend, increase
verlaufen to run a course, proceed
verbreiten to spread, diffuse, circulate
blutsaugend blood-sucking
die Fledermaus bat
verwandt related
das Rind (die Rinder) ox; cow; (cattle)
befallen to befall, attack

Pasteur hat entdeckt, dass das Virus durch Trocknung des Rückenmarks der erkrankten Kaninchen abgeschwächt werden kann. Neuerdings sind weitere Verfahren zur Abschwächung des Virus entwickelt worden. Indem man eine Emulsion derartig präparierten Rückenmarks, enthaltend das abgeschwächte Virus (sog. Virus fixe) in steigenden Dosen einspritzt, kann der Ausbruch der Krankheit bei infizierten Menschen verhindert werden. Man schickt die von wutkranken Hunden Gebissenen sobald als möglich in ein zu diesen Impfungen eingerichtetes Institut, z. B. Berlin, München (Schwabinger Krankenhaus) oder Hamburg.

In Südamerika ist eine der Lyssa ähnliche Krankheit (als „Lähmungswut" mit aufsteigenden Myelitis verlaufend) verbreitet, die durch Vampire, blutsaugende Fledermäuse, übertragen wird. Erreger: ein dem Lyssa-Virus nahe verwandtes, wenn nicht mit ihm identisches Virus. Besonders werden Rinder befallen, seltener Menschen.

23

FIRST AID FOR FRACTURES

der **Knochenbruch** fracture
die **Verletzung** wound, injury
der **Stoss** impact
der **Hieb** (cutting) blow
die **Quetschung** bruise, contusion
der **Schuss** (gun) shot wound
usw. (**und so weiter**) and so forth
häufig frequent
die **Gliedmassen / das Glied** members / limb
der **Schädelknochen** skull
selten rare
der **Rumpf** trunk, torso
die **Wirbelsäule** vertebral column (**der Wirbel / die Säule**) (vertebra / column)
die **Schulter / das Blatt** shoulder / blade
das **Becken** pelvis
betreffen (**betraf betroffen**) to be affected
die **Unterscheidung** distinction
die **Haut** skin
durchtrennen to pierce
bestehen to exist
herausragen to project, stick out
das **Anzeichen** sign, symptom.
der **Schmerz** pain

die **Stelle** place
die **Bewegung/der Versuch** motion, movement / attempt
gebrauchsunfähig incapable of use
die **Anschwellung** swelling
der (**das**) **Bereich** area, zone, reach
das **Blut / der Erguss** blood / effusion
die **Veränderung** change
die **abnorme Haltung** abnormal position
die **Abknickung** (angular position of) snapped limb
die **Verkürzung** shortening
die **Verbiegung** bending, twisting
die **Beweglichkeit** mobility
das **Gelenk** joint, articulation
die **Probe** test
hervorrufen to employ
das **Vorhandensein** presence
genügen to suffice
annehmen to assume
danach accordingly
die **Hilfe / die Leistung** aid / rendering
einrichten to arrange, institute

23

ERSTE HILFE BEI KNOCHENBRÜCHEN *

Sehr oft führen Verletzungen (Fall, Stoss, Hieb, Quetschung, Schuss usw.) zu Knochenbrüchen. Am häufigsten sind die Knochen der Gliedmassen, weniger oft die Schädelknochen und noch seltener die Knochen des Rumpfes (Wirbelsäule, Schulterblatt, Becken usw.) betroffen. Praktisch wichtig ist die Unter- 5
scheidung:

geschlossener Knochenbruch—die Haut ist nicht verletzt, es besteht keine Wunde;

offener Knochenbruch—die Haut ist durchtrennt, es besteht eine Wunde; aus der Wunde kann—muss aber nicht!—ein 10
Knochenbruchstück herausragen. Schussbrüche sind immer offene Knochenbrüche.

Anzeichen eines Knochenbruches

Schmerzen an der Bruchstelle, besonders bei Bewegungsversuchen des gebrauchsunfähigen Gliedes.

Anschwellung im Bereich des Knochenbruches durch Blut- 15
erguss.

Formveränderung und abnorme Haltung des verletzten Gliedes (Abknickung, Verkürzung, Verbiegung).

Beweglichkeit des Gliedes an einer Stelle, wo kein Gelenk liegt. Dieses Anzeichen darf jedoch niemals zur Probe 20
hervorgerufen werden.

Das Vorhandensein eines dieser Zeichen genügt, um einen Knochenbruch anzunehmen und danach die Hilfeleistung einzurichten.

* From: Soldat und Technik 11/1960. P. 606. By kind permission of Umschau Verlag, Frankfurt am Main.

die **Gefahr** danger
das **Gefäss** vessel
die **Blutung** hemorrhage
die **Lähmung** paralysis
die **Folge** consequence, result
die **Entstehung** origin, cause
das **Eintreten** occurrence
das **Fett** fat(ty tissue)
der **Oberschenkel** thigh
der **Knochen / das Mark**
  bone / marrow
gelangen to reach, get (into)
das **Tröpfchen** droplet, globule
die **Ader** vein
treiben to drift, move
die **Unvorsichtigkeit** carelessness
die **Erschütterung** agitation
unversehrt uninjured
durchspiessen to pierce
langwierig protracted
die **Eiterung** suppuration
der (das) **Weichteil** soft tissue
die **Bekämpfung** control, over-
  coming
der **Verband** dressing, bandage
die **Schienung** splint(ing)
keimfrei sterile
ragen aus (*see* **herausragen**)
weder . . . noch neither . . . nor

berühren to touch
zurückschieben (schob . . . zurück
  zurückgeschoben) to push back
die **Ruhigstellung (ruhig / die**
  Stellung immobilization
  (quiet / position)
die **Stützung** support
behelfsmässig improvised,
  temporary
erfolgen to ensue
gering slight
ungefährlich harmless
vorfinden (fand . . . vor vor-
  gefunden) to find, come upon
benachbart neighboring
einschliessen to include
die **Ausnahme** exception
die **Regel** rule
überflüssig superfluous
das **Entkleiden** disrobing
unterbleiben to be left undone
anlegen to apply, put on
beengen to restrict
bzw. (beziehungsweise) or;
  respectively
aufschneiden to cut open
der **Vorsprung** projection
polstern to pad
verursachen to cause

Falsches Anfassen!

Richtiges Anfassen!

Das gebrochene Glied muß oberhalb und unterhalb der Bruchstelle
gut unterstützt werden.

Gefahren eines jeden Knochenbruches

Verletzung von Blutgefässen, Nerven und inneren Organen mit Blutungen und Lähmungen als Folge.

Entstehung eines Schocks.

Eintreten einer Fettembolie, vor allem bei Oberschenkelbrüchen (aus dem fettreichen Knochenmark der Bruchstelle 5 gelangen kleinste Fettröpfchen in die Blutadern, treiben mit dem Blutstrom in Herz und Lungen und können dort lebenswichtige Blutgefässe verstopfen). Bei einem geschlossenen Knochenbruch kann durch Unvorsichtigkeit bei der Hilfeleistung oder durch Erschütterung auf dem Transport ein Bruchende die 10 unversehrte Haut durchspiessen, so dass ein offener Knochenbruch entsteht.

Bei jedem offenen Knochenbruch besteht die Gefahr einer Wundinfektion mit langwierigen Eiterungen der Weichteile und des Knochenmarks. 15

Erste Hilfe

1. Bei schwerem Schock nur Schockbekämpfung (siehe Heft Nr. 10, Seite 544)—kein Verband, keine Schienung, kein Transport.

2. Bei offenem Knochenbruch: Keimfreier Verband der Wunde. Dabei dürfen aus der Wunde ragende Knochenstücke 20 weder berührt noch zurückgeschoben werden.

3. Ruhigstellung und Stützung des gebrochenen Knochens durch Stützverband, behelfsmässige Schienung oder natürliche Schienung. Die Ruhigstellung erfolgt in der Haltung, in welcher der Verletzte die geringsten Schmerzen hat; am ungefährlichsten 25 ist es, wenn man das gebrochene Glied in der vorgefundenen Haltung ruhigstellt. Die Ruhigstellung muss die beiden benachbarten Gelenke immer einschliessen; eine Ausnahme von dieser Regel bilden nur Handgelenk und Fussgelenk. Überflüssiges Entkleiden hat zu unterbleiben. Die Schiene wird über Be- 30 kleidung und Schuhen angelegt; nur beengende Bekleidung wird geöffnet bzw. aufgeschnitten. Die Bruchstelle, alle Knochenvorsprünge und die Schienenenden sind gut zu polstern. Eine Schiene ist nur dann richtig angelegt, wenn sie keine Schmerzen verursacht. 35

das Dreieck / das Tuch   triangle /
  cloth, bandage
notwendig   necessary
der Brustkorb   thorax, chest
befestigen   to attach, fasten
der Knoten   knot
notfalls   if necessary
der Rock / der Zipfel   coat,
  jacket / corner, tip
der Ell(en)bogen   elbow
beugen   to bend
drücken   to press
schlagen   to wrap or fold
die Sicherheit / die Nadel
  safety / pin
der Ast   branch, bough
die Stange   pole
der Stock   stick, staff
das Brett   board
das Wäschestück   (piece of) linen,
  laundry
das Moos   moss
das Heu   hay
das Stroh   straw
das Laub   foliage
der Riemen   belt, strap, sling
der Strick   cord, rope
die Hosenträger (die Hose / der
  Träger)   suspenders (trouser /
  holder, carrier)
das Tuch   cloth, towel
das Halstuch   scarf, neckerchief
die Drahtleiter   wire gauze netting

die Watte   cotton wadding
der Laie   layman
in Betracht kommen   to come into
  question, be considered
verschieden   various
die Sanitätsausrüstung / die Aus-
  rüstung   medical (or first-aid) kit
  (or outfit) / outfit, equipment
das Anfassen   taking hold of,
  grasping
mittels   by means of
vorhanden sein   to be available

Natürliche Schienung des Armes am
Brustkorb mittels Rockzipfel
und Dreiecktuch.

Behelfsmäßige Schienung bei Oberschenkelbruch mittels Brett und Dreiecktüchern.

Natürliche Schienung

Hierzu sind nur Dreiecktücher („Krawatten") oder Binden notwendig. Der gebrochene Arm wird am Brustkorb, der gebrochene Finger am benachbarten Finger, das gebrochene Bein am gesunden Bein befestigt. Knoten niemals direkt über die Bruchstelle legen. Notfalls wird ein Rockzipfel über den 5
im Ellenbogengelenk gebeugten, fest an die Brust gedrückten Unterarm nach oben geschlagen und mit einer Sicherheitsnadel befestigt.

Behelfsmässige Schienung

Schienenmaterial—Äste, Stangen, Stöcke, Bretter usw.

Polstermaterial—Wäschestücke, Bekleidungsstücke, Gras, 10
Moos, Heu, Stroh, Laub, Papier usw.

Befestigung—Riemen, Stricke, Hosenträger, Handtücher, Halstücher usw.

Stützverband

Das normale Schienen-, Polster- und Befestigungsmaterial (Drahtleiterschienen, Polsterwatte, Dreiecktücher usw.) kommt 15
für die Selbst- und Kameradenhilfe durch Laien nur selten in Betracht, da diese Mittel nur in den verschiedenen Sanitätsausrüstungen vorhanden sind.   Dr. P.

MEDICAL CLIMATOLOGY

nach according to
der Einfluss influence
die Wirkung effect
darüber hinaus beyond that
sich befassen mit to concern itself with
stammen to originate
der Begriff concept
die Veränderung modification, change
umfassen to include, embrace
merklich perceptible
hauptsächlich chief(ly)
die Einwirkung effect, influence
die Kenntnis knowledge
ansprechen to apply, appeal
der Ablauf course, progress, occurrence
erforderlich required, necessary
vermitteln to provide, establish
die Grenze / das Gebiet border / area
die Gemeinschaftsarbeit / die Gemeinschaft cooperation, mutual effort / community, society
erforschen to investigate, research
zunächst first of all, to begin with

die Umwelt environment
verkennen to misunderstand, misjudge
die Betrachtungsweise way of viewing (or considering)
die Unterlage evidence, basis
verschaffen to procure, obtain
die Grundlage basis
berücksichtigen to consider, take into account
die Belange importance, interest
gewahr werden to perceive, become aware of
sauber clean, neat
naturwissenschaftlich natural science
die Forschung research
treiben to carry on (or out)
scheinen to appear
jüngst recently
am ehesten most nearly
gerecht werden to do justice to
der Zustand state, condition
sowohl . . . als auch both . . . and, as well . . . as
hinsichtlich with regard to
das Vorkommen occurrence

24

MEDIZINISCHE KLIMATOLOGIE*

Unter Bioklimatologie versteht man nach Linke die Lehre von den Einflüssen der Naturkräfte auf das organische Leben. Bioklimatologie ist also die Wissenschaft, die sich mit den Wirkungen des Klima und Wetters auf den Menschen und darüber hinaus auf Pflanzen und Tiere befasst. Die schon von 5 Alexander von Humboldt stammende Definition des Klimabegriffs, dass das Klima „alle Veränderungen in der Atmosphäre umfasse, die unsere Organe merklich affizieren", ist hauptsächlich biologisch gedacht und spricht vor allem den Arzt an. Zum Studium der Einwirkungen dieser atmosphärischen Verän- 10 derungen auf den lebenden Organismus ist aber eine genaue Kenntnis eben dieser Abläufe in der Natur erforderlich, die uns Meteorologie und Geophysik vermitteln. Die *medizinische Klimatologie* ist also ein *Grenzgebiet zwischen Meteorologie und Medizin,* das nur in Gemeinschaftsarbeit erforscht werden kann. Wenn 15 auch den Arzt zunächst nur die *gesundheitlichen* Wirkungen der atmosphärischen Umwelt zu interessieren scheinen, so ist doch nicht zu verkennen, dass nur eine Betrachtungsweise exakte Unterlagen verschaffen kann, die die geophysikalisch-meteorologischen Grundlagen und Elemente berücksichtigt. Diesem 20 Gedanken, dass die medizinischen Belange, auch die therapeutischen, am besten gewahrt werden, wenn eine saubere naturwissenschaft fundierte Grundlagenforschung getrieben wird, scheint eine von H. Berg jüngst gegebene Klimadefinition am ehesten gerecht zu werden: „Klima ist der mittlere Zustand der 25 Atmosphäre eines Ortes sowohl hinsichtlich der Mittelwerte der einzelnen Elemente als auch hinsichtlich des Vorkommens

---

* From: Dr. med. H. Vogt und Dr. med. W. Amelung, *Einführung in die Balneologie und Medizinische Klimatologie* (Bäder- und Klimaheilkunde). Zweite Auflage. 1952. P. 81. By kind permission of Springer-Verlag, Berlin, Göttingen, Heidelberg.

bestimmt definite
die Schwelle / der Wert
threshold / value
derselben thereof
die Erscheinung phenomenon
umfassend comprehensive,
extensive
die Beschreibung description
einschliessen to include
der Begriff concept
eigentlich real, true
umschreiben to signify, describe
augenblicklich momentary
das Gebiet area
die Witterung atmospheric condition(s), weather
grossräumig over a large area
die Gesamtheit totality
der Verlauf course
die Gegend region
die Beurteilung judgment
entscheidend decisive
die Schwankung fluctuation
die Streuung scatter
bedingt sein durch to be determined by
die geographische Breite latitude
das Meer / die Höhe ocean, sea/
level

die Gesetzmässigkeit / das Gesetz
(conformity to) law, lawfulness /
law
z.B. (**zum Beispiel**) for example
wandelbar variable
launisch capricious, moody,
changeable
erscheinen to appear, seem
beständig constant, continual
der Wechsel change
unterwerfen to subject
örtlich local
die Abwandlung change, alteration
jeweilig actual, at the moment
die Lage situation, state
die Beschaffenheit nature, condition
die Strahlung radiation
die Luft / die Feuchtigkeit air /
humidity, moisture
die Wolke cloud
die Bewölkung cloud formation
(*or* cover), cloudiness
der Niederschlag precipitation
die Bewegung motion
die Dichte density
die Erde / die Oberfläche earth /
surface

bestimmter Schwellenwerte derselben; Klima ist auch der mittlere Ablauf des Wetters als komplexe Erscheinung". In dieser umfassenden Beschreibung schliesst der Begriff Klima auch das Wetter im eigentlichen Sinne des Wortes ein. Praktisch umschreibt das *Wetter* den *augenblicklichen* Zustand in der Atmosphäre eines bestimmten Gebietes, die *Witterung grossräumig* das Wetter mehrerer Tage und das *Klima* die Gesamtheit der Witterung im Verlauf der Jahre für eine Gegend oder einen gegebenen Ort. Für die anthropobiologische Beurteilung eines Klimas sind weniger Mittel- und Extremwerte entscheidend, als die Grösse der Schwankungen, die Streuung der einzelnen Wetterelemente. Das Klima ist bedingt durch Faktoren stabilen Charakters (geographische Breite, Meereshöhe, allgemeine Gesetzmässigkeiten, wie z. B. das Phänomen des See- und Landwindes), jahreszeitliche Einflüsse und die eigentlichen Wettereinflüsse, die wandelbar, „launisch" erscheinen und in vielen Gegenden einem fast beständigem Wechsel unterworfen sind. Zum Studium des Einflusses eines bestimmten Klimas auf den lebenden Organismus ist also auch die Kenntnis der örtlichen, geographisch und orographisch* bedingten Abwandlungen des Grossraumklimas, des Landschaftscharakters und der jeweiligen Wetterlage erforderlich. Das Wetter wird bestimmt durch die Beschaffenheit der einzelnen meteorologischen Elemente, die als singuläre Faktoren oder auch als komplexe Grössen definiert werden können, jedenfalls aber im Akkord der einzelnen Grössen wirken (Strahlung, Lufttemperatur, Luftfeuchtigkeit, Wolken und Beuölkung, Niederschlag, Luftbewegung und Wind, Luftdichte, chemische Beschaffenheit der Luft und das Luftkolloid, Luftelektrizität usw.).

* Orographie, Beschreibung der Reliefformen der Erdoberfläche.

CLIMATE THERAPY

Seaside Therapy

häufig frequent
der Wechsel change
die Luft / das Verhältnis air, atmosphere / condition
die Brandung surf
die Abkühlung / die Grösse cooling (off) / amount
die Strahlung radiation
ausgleichen (glich . . . aus ausgeglichen) to compensate, balance
der Gang course, action, progress
die Wirkung effect
z. T. (zum Teil) partially
erheblich considerable
das Ausmass extent, proportion
zur Folge haben to have as a consequence
gelten to be valid, apply (to)
ausgesprochen marked, pronounced, decided
die Lage position, location, situation
die Küste coast
vorlagern to extend before, stretch out in front
die Ostsee Baltic Sea
der Einfluss influence
je nach according to
die Gestaltung formation
gestreckt extended

zerklüftet irregular, rugged, disrupted
das Mittelmeer Mediterranean Sea
die Krim Crimea
der Abhang slope
feucht moist
die Bemerkung remark, observation
sich beziehen auf to apply to
die Behandlung treatment, care
die Erkältung / die Krankheit cold, catarrh / illness
die Beeinflussung influencing
die Anfälligkeit / der Zustand susceptibility / condition
zugrunde liegen to underlie
die Schwäche weakness
die Bedeutung significance
die Überempfindlichkeit hypersensitivity
der Erfolg success
günstig favorable, suitable
das Rheuma / der Kranke rheumatism / patient, sick person
die Wetterempfindlichkeit sensitivity to weather (change)
der Rheumatiker one ill with rheumatism
beruhen to rest on, be due to
geeignet suitable, appropriate

25

KLIMAKUREN*

Kuren an der See

Das Seeklima hat durch die stets bewegte Luft, den häufigen
Wechsel des Wetters, die Luftverhältnisse der Brandung, den
Charakter des Aerosols, die Abkühlungsgrösse, die Strahlungs-
verhältnisse, den ausgeglichenen Gang der Temperatur Wirkungen von z. T. erheblichem Ausmass im Körper zur Folge. Das 5
gilt vor allem vom ausgesprochenen Seeklima, also der Lage an
der Küste und den vorgelagerten Inseln. Land- und Seewind
bringen immer erhebliche Unterschiede. Ausgesprochen mari-
tim ist bei uns die Nordsee, die Ostsee steht unter mehr kontinentalen Einflüssen. Das Seeklima zeigt je nach der Gestaltung 10
von Land und Meer, gestreckter oder zerklüfteter Küste ziemlich erhebliche Unterschiede. Ein bioklimatisch wertvolles
Klima haben die Mittelmeerküsten und atlantischen Küsten
von Frankreich, Spanien und Italien, ebenso das Schwarze
Meer, vor allem die Krim und der Westabhang des Kaukasus: 15
feuchte Wärme, reiche Strahlung. Die nachfolgenden Bemer-
kungen beziehen sich auf die deutsche Nordsee und Ostsee.
Die Küste ist das ideale Klima zur Behandlung von Erkäl-
tungskrankheiten. Es hat vor allem durch die systematische
Beeinflussung der den Anfälligkeitszuständen zugrunde liegen- 20
den Reaktionsschwäche Bedeutung für alle Überempfindlich-
keitszustände, die exsudative lymphatische und allergische
Diathese. Auch die für manche Rheumakranken guten Erfolg
des Seeklimas in der warmen Jahreszeit dürften auf einer günstigen Beeinflussung der Wetterempfindlichkeit des Rheumatikers 25
beruhen. Ebenso geeignet ist das Seeklima für die Behandlung

* From: Dr. med. H. Vogt und Dr. med. W. Amelung, *Einführung in
die Balneologie und Medizinische Klimatologie* (Bäder- und Klimaheilkunde).
Zweite Auflage. 1952. Pp. 191–192. By kind permission of Springer-
Verlag, Berlin, Göttingen, Heidelberg.

der **Katarrh** catarrh(al) condition
vornehmlich particularly
die oberen Luftwege upper respiratory passages
der **Rachen** throat
der **Kehlkopf** larynx
die **Luftröhre** trachea
kindlich infantile
das **Heu / das Fieber** hay / fever
einschliesslich inclusive (of), including
krankhaft pathological, morbid
die **Bereitschaft** readiness
der **Empfindliche** sensitive person
auswirken to operate
ständig constant
wechseln to change, vary
das **Geschehnis** event, happening
stets continually, constantly
der **Strand** shore, beach
bieten to offer
der **Aufenthalt** stay, residence
die **Ablenkung** diversion, recreation
die **Beschäftigung** activity, occupation
die **Ruhe / die Möglichkeit** rest / possibility
schonen to care, spare, preserve (**health**)
ausgezeichnet excellent
unmerklich imperceptible
die **Freiluft** fresh (*or* open) air
umgestalten to transform

nahezu almost
der **Reiz** stimulus
aussetzen to expose
die **Schilddrüse** thyroid
das **Jod** (**J**) iodine (I)
erregbar excitable, irritable
das **Geräusch** noise
der **Binnensee** inland lake
die **Niere** kidney
der **Magen-Darm-Kanal** gastrointestinal tract
ausgesprochen decided, marked
das **Leiden** affliction, malady, condition
die **Neigung** inclination, tendency
die **Veränderung** change, modification
eignen to (be) suit(able)
empfehlen (empfahl empfohlen) to recommend
das **Wesentliche** essential (point)
die **Einwirkung** effect
ausgedehnt extended, prolonged
erholungsbedürftig in need of recovery (*or* recuperation)
widerstansdkräftig resistant
das **Wannenbad / die Wanne** sponge (*or* tub) bath / tub
abschwächen to attenuate
erhalten to get, obtain
abmildern to make milder
das **Solbad / die Sole** salt-water bath / salt-water, brine
vergleichbar comparable

des Katarrhs, vornehmlich der oberen Luftwege, Nase, Rachen, Kehlkopf, Luftröhre, Bronchien. Das kindliche Asthma findet an der See erfolgreiche Behandlung.

Für das Heufieber sind einige Küstenlagen (Helgoland) geeignet. Bei Allergosen, einschliesslich Migräne, haben Seeklima- 5 kuren günstigen Einfluss auf die krankhafte Reaktionsbereitschaft (Pfleiderer). Bei Wetterempfindlichen wirken sich gerade die ständig wechselnden Wettergeschehnisse und die stets bewegte Luft günstig aus. Der Strand bietet dazu ideale Aufenthaltsverhältnisse im Freien wie kein anderes Kurmilieu. Es 10 gestattet dabei kleine Ablenkungen, Beschäftigungen, Spiele, Ruhemöglichkeiten, schonende und reichliche Bewegung und hilft ausgezeichnet, den Stadtmenschen unmerklich zum Freiluftmenschen umzugestalten. Nirgendwo anders ist es so wie an der See möglich, viele Stunden des Tages nahezu unbekleidet 15 sich den klimatischen Reizen auszusetzen. Für die Tuberkulose spielen Seeklimakuren eine grosse Rolle, namentlich bei der extrapulmonalen Tuberkulose. Kontraindiziert sind die Seekuren für Schilddrüsenkranke sowohl wegen des Jodreichtums der Brandungsluft besonders an der atlantischen und an der Nord- 20 seeküste, als auch durch die Unruhe von Luft und Wasser. Erregbare Nervöse, Schlaflose, Geräuschempfindliche fühlen sich namentlich an den stark bewegten Küsten nicht besonders wohl, hier sind besser Ostsee oder die Binnenseen. Ebenso sind für die See organische Krankheiten des Herzens (besonders 25 auch Coronarsklerose), der Niere, des Magen-Darm-Kanals, ausgesprochene gynäkologische Leiden, Rheumatiker mit Neigung zu frischen Attacken und progressiven Veränderungen nicht geeignet. Auch Seereisen sind immer als Kuren empfohlen worden. Auch die nordatlantische Küste, selbst die Nordsee, 30 bietet ausgezeichnete Verhältnisse für Winterkuren.

Das Wesentliche bei *Seekuren* ist die Einwirkung des Klimas, der ausgedehnte Freiluftaufenthalt. Das Seebaden hat vor allem für erholungsbedürftige, widerstandskräftige Gesunde ausgezeichneten Wert. Beim Freibaden spielen die Luft und das 35 bewegte Wasser als starker Reiz eine besondere Rolle. In geschlossenen Kabinen und auch im Wannenbad kann man das Seebad in abgeschwächter Form erhalten. Das warme Wannenseebad ist dann einem abgemilderten Solbad vergleichbar (3%

sich ergeben to result
die Nutzung utilization
vorhanden present, available
der See / der Schlick sea / slime, mud
entsprechend corresponding
das Moorbad / das Moor mudbath / swamp, bog
üben to practice, use

der Liman (*Turkish*) lagoon, enlarged mouth of river
die Behandlung / die Art treatment / type, kind
das Vorhandensein presence
die Heilquelle mineral spring(s)
die Solquelle salt-water spring(s)
der Heilort resort
mancherorts in many places

Sole). In manchen Küstenorten haben sich Behandlungmöglichkeiten ergeben durch die Nutzung des vorhandenen Seeschlicks, die bei uns den klimatischen Verhältnissen entsprechend (analog den Moorbädern) in Badehäusern geübt wird. Im Süden (Limane der Schwarze-Meer-Küste) wird auch diese 5 Behandlungsart im Freien geübt. Hier ergeben sich also für Rheumatiker besondere Bademöglichkeiten. Auch durch das Vorhandensein von Heilquellen (Solquellen an der deutschen Ostsee) können Seekurorte noch einen besonderen Charakter als Heilorte gewinnen. Mancherorts wird das Meerwasser zu 10 Trink- und Inhalationskuren benutzt.

26

MILITARY MEDICAL SERVICE

uralt ancient, primeval

die Einrichtung organization, establishment

das Heer army

verhältnismässig comparatively, relatively

die ärztliche Besorgung medical care

verwunden to wound

im Zug following, among the troops

eingerichtet (*see* **die Einrichtung**)

das Altertum antiquity

das Ansehen respect, esteem

die Heilkunde healing art, medicine

der Verfall decline

verfallen (verfiel verfallen) to decline, fall into decadence

der Ärztestand (der Arzt / der Stand) medical profession (*or* class) (physician / standing)

das Nibelungenlied Middle High German epic (about 1200)

erwähnen to mention

mangelhaft faulty, lacking, imperfect

eigentlich real

erst only

aufstellen to set up

die Einführung introduction

die Feuerwaffe / die Waffe firearm / weapon

entscheidend decisive

der Einfluss influence

die Gestaltung formation

die Herberge lodging, shelter

sorglich carefully

der Met mead

das Gefolge entourage, followers

nimmer [nie (mehr), niemals] no more, never, at no time

die Heilkunst healing art

bewandert experienced, versed

bieten (bot geboten) to offer

der Sold wage(s), earning(s)

die Waage scale(s), balance

der Streit fight, dispute

die Not want, distress

die Gabe gift

26

DAS MILITÄRSANITÄTSWESEN*

Uralt ist die Einrichtung der Heere, aber verhältnismässig neu ist die organisierte ärztliche Besorgung der kranken und verwundeten Soldaten. Feldärzte befanden sich bereits im Zug Alexander des Grossen. Auch die Spartaner hatten Militärärzte. Zur römischen Kaiserzeit gab es ein gut eingerichtetes Militär- 5 sanitätswesen.

Im Altertum standen die Ärzte, die den Heeren folgten, im gleichen Ansehen wie die Heilkunde selbst. Mit dem Verfall der antiken Kultur sank auch die ärztliche Kunst, in den folgenden Jahrhunderten verfielen die Heilkunde und der Ärzte- 10 stand. Im Nibelungenlied werden wohl noch Ärzte erwähnt, bis zum 16. Jahrhundert blieb aber die Hilfe für den verwundeten Krieger mangelhaft.† Von einem eigentlichen Militärsanitätswesen kann erst gesprochen werden, als die stehenden Heere aufgestellt worden. Die Einführung der Feuerwaffen 15 hatte einen entscheidenden Einfluss auf die Gestaltung des Sanitätswesens.

* From: Oberfeldarzt Dr. Hawickhorst, *Taschenbuch für den Sanitäts- und Gesundheitsdienst der Bundeswehr.* 1. Folge. 1958. P. 9. By kind permission of Wehr und Wissen Verlagsgesellschaft mbH, Darmstadt.

† The following two strophes (256 and 259) relate something of medical care after battle. (Aus Reclams Universal-Bibliothek Nr. 642–45: Das Nibelungenlied. Übersetzung von Felix Genzmer. Mit Genehmigung des Verlages Philipp Reclam jun., Stuttgart.):

Man brachte sie zur Ruhe / in guter Herberge da.
Die Verwundeten gar sorglich / gebettet man da sah.
Man schenkte den Gesunden / Met und guten Wein.
Da konnte das Gefolge / nimmer fröhlicher sein.

Wer in Heilkunst bewandert, / dem bot man reichen Sold,
Silber ohne Waage, / dazu das lichte Gold,
dass die Helden heilten / nach des Streites Not.
Dazu grosse Gaben / der König seinen Gästen bot.

AUSTRIAN NATIONAL DEFENSE

The Strategic Position of Austria

die Verteidigung defense
die Lage position, situation
wehrpolitisch pertaining to military politics
erklären to announce, declare, state
immerwährend (immer / während) permanent, continuous (always / lasting)
kennzeichnen to characterize
die Drehscheibe (drehen / die Scheibe) turntable (to turn / disc)
der Verkehr traffic, communication
verbinden to join
sich ergeben to result from
die Bündelung clustering
erstrangig first-rate, leading
die Achse axis
der Strassenzug roads, highways (stretching along)
die Donau Danube River
Ungarn Hungary
der Verlauf course
der Raum area, space
das Gebirge mountain(s)
das Bundesgebiet federal area (of Austrian Republic)
darstellen to (re)present

die Verbindung communication, tie
von Mitteleuropa aus starting from central Europe
erreichen to reach
überqueren to traverse, cross
zweckmässig practical, appropriate
ähnlich similar
gelten to apply, be valid
grenzen an to border on
die Hinsicht view, consideration
besitzen to possess
zufolge as a result
dauern to continue
trennen to divide
die Schweiz Switzerland
der Riegel oblique defense line; bolt, crossbar
im Falle in (the) case of
auf der Höhe in the latitude of
unterbrechen to interrupt
die Trennung separation, division
an sich *per se*
gleichermassen likewise
ins Gewicht fallen to be of great importance
rücksichtlich concerning, with regard to

DIE ÖSTERREICHISCHE LANDESVERTEIDIGUNG*

Die Strategische Lage Österreichs

Die wehrpolitische Situation Österreichs ist durch seine geographische Lage und die erklärte immerwährende Neutralität gekennzeichnet. Die geographische Lage macht Österreich zu einer Drehscheibe des Verkehrs. Die verbindende Funktion Österreichs ergibt sich aus der Bündelung erstrangiger Verkehrsachsen: Strassenzüge, Eisenbahnlinien, Luftverkehrslinien, die Wasserstrasse der Donau. Das Donautal mit den Eisenbahnstrassen und dem Wasserweg verbindet Süddeutschland mit Ungarn und im weiteren Verlauf mit dem Balkanraum: Bahnen und Strassen über das Gebirge im westlichen Teil des Bundesgebietes stellen die kürzesten Verbindungen zwischen dem deutschen Raum und Oberitalien dar. Wer von Mitteleuropa aus Jugoslawien erreichen will, überquert zweckmässig österreichisches Gebiet. Das gleiche oder ähnliches gilt für alle übrigen an Österreich grenzenden Staaten.

In militärischer Hinsicht besitzt Österreich zufolge der erklärten dauernden Neutralität trennende Funktion. Der durch die Schweiz und Österreich gebildete neutrale Riegel trennt im Falle eines Krieges den Norden vom Süden Europas auf der Höhe dieser Staaten. Dadurch würden die direkten Verbindungen zu Erde und in der Luft vor allem zwischen den beiden NATO-Staaten Italien und der Bundesrepublik Deutschland unterbrochen. Die Trennung der Landverbindung zwischen der Tschechoslowakei und Jugoslawien ist an sich gleichermassen gegeben, fällt jedoch rücksichtlich der möglichen politischen Konstellationen nicht allzusehr ins Gewicht.

Die durch die Schweiz und Österreich gebildete neutrale

*From: *Österreichisches Jahrbuch 1959.* Wien 1960. Druck und Verlag der Österr. Staatsdruckerei. Pp. 170–171.

der **Kriegführende** / **führen**
belligerent (party) / to carry out

die **Flanke** / der **Schutz**   flank / protection

ausreichen   to suffice

sichern   to assure

in **hohem Masse**   to a high degree

die **Unsicherheit**   insecurity, uncertainty

die **Macht**   power

versuchen   to attempt

beseitigen   to do away with, remove

die **Bedrohung**   threat

ausschalten   to eliminate

entweder . . . **oder**   either . . . or

die **Besetzung**   occupation (by troops)

die **Umfassung**   envelopment

der **Feind** / der **Flügel**   enemy / flank, wing

voraussichtlich   presumably

das **Erlöschen**   expiration, lapse, extinction

die **Handlung**   action

beitragen   to contribute

erhalten   to maintain

der **Staatsbürger**   citizen

bieten (**bot geboten**)   to (pr)offer

der **Angriff**   attack

aufbauen   to build up

die **Schwäche**   weakness

miteinbeziehen   to involve, include

Barriere stellt für jeden Kriegführenden, der nördlich oder südlich davon parallel dazu operiert, einen idealen Flankenschutz dar, wenn dieser Raum militärisch ausreichend gesichert ist. Ist dies jedoch nicht der Fall, dann stellen die neutralen Gebiete in hohem Masse einen Unsicherheitsfaktor dar, der für 5 den gesamten Raum ein ernstes Gefahrenmoment bedeutet. Die kriegführenden Mächte müssten in solcher Lage versuchen, diesen Unsicherheitsfaktor zu beseitigen, um die Gefahr einer Flankenbedrohung auszuschalten. Dies könnte entweder durch die Besetzung strategisch wichtiger Landesteile oder durch 10 Operationen über österreichisches Gebiet zur Umfassung des Feindflügels geschehen. In beiden Fällen käme es voraussichtlich zum Erlöschen der österreichischen Neutralität und zu schweren Kriegshandlungen auf unserem Territorium.

Will Österreich beitragen, den internationalen Frieden zu 15 erhalten, und seinen Staatsbürgern den gebotenen Schutz gegenüber Angriffen von aussen zu sichern, dann muss es eine relativ starke Landesverteidigung aufbauen. Eigene militärische Schwäche, ein militärisches Vakuum, würde am Beginn oder während eines Krieges Österreich früher oder später in 20 einen Krieg mit einbeziehen.

der **Verband**   unit
das **Heer**   army
die **Waffengattung** (die **Waffe** / die **Gattung**)   branch (*or* arm) of service (weapon / kind)
zusammenstellen   to compose
das **Wesen**   essence
ausmachen   to constitute
die **Beweglichkeit**   mobility, maneuverability
die **Geländegängigkeit**   ability to negotiate (rough) terrain
die **Schnelligkeit**   speed
das **Feuer** / die **Kraft**   fire / power
die **Panzerung**   armor (plating)
verleihen   to lend, confer, give
der **Schutz**   protection
feindlich   enemy, hostile
die **Waffenwirkung** / die **Wirkung**   weapon (firing) effect / effect
die **Strahlung**   radiation
der **Abfall**   fall-out
im Falle   in (the) case of
die **Verwendung**   use, application
das **Kampfmittel**   means of combat (arms and ammunition)
die **Lage**   position
überraschen   to surprise
der **Kampf** / das **Geschehen**   combat / action
eingreifen   to engage, intervene
örtlich   local
die **Entscheidung**   decision
herbeiführen   to bring about
der **Sturmbock**   battering-ram
das (der) **Rückgrat**   backbone
der **Angriff**   attack
der **Gegenstoss** / der **Stoss**   counter-attack / push, thrust
die **Ausbildung**   training
das **Gefecht** / der **Einsatz**   combat, action / employment, commitment
die **Anforderung** (hohe −en **stellen an**)   demand, claim (to expect great things from)
reibungslos   smooth, frictionless
die **Einheit**   unit, element
das **Funken**   radio operation
das **Schiessen**   gunnery
die **Grundlage**   basis
die **vorbildliche Kameradschaft**   exemplary camaraderie
die **Voraussetzung**   prerequisite
der **Erfolg**   success
die **Grossmacht**   (great political) power
im Zuge   following
der **Abschluss**   settlement
der **Staatsvertrag**   international treaty
erhalten   to receive
darüber hinaus   besides
der **Ankauf**   purchase
der **Aufbau**   building up
verfügen über   to have at one's disposal
gegenwärtig   currently
der **Jagdpanzer** / die **Jagd**   hunter (*or* pursuit) tank / hunt, chase, pursuit
der **Panzer** / die **Besatzung**   tank / crew
der **Schützenpanzerwagen**   armored personnel carrier
abgesessen   dismounted
dabei jedoch   but still
der **Panzeraufklärer**   armored reconnaissance scout
die **Führung**   command(er), HQS
die **Nachricht**   intelligence, information

DIE PANZERTRUPPE*

Die Panzertruppen bilden die stärksten Verbände des Heeres.
Sie sind aus verschiedenen Waffengattungen zusammengestellt.
Das Wesen der Panzertruppe macht ihre Beweglichkeit (Geländegängigkeit und Schnelligkeit), Feuerkraft und Panzerung aus.
Die Panzerung verleiht nicht nur Schutz gegen feindliche Waf- 5
fenwirkungen, sondern auch gegen radioaktive Strahlungen und
Abfälle im Falle der Verwendung atomarer Kampfmittel. Pan-
zerverbände sind in der Lage, überraschend in das Kampf-
geschehen einzugreifen und dadurch örtliche Entscheidungen
herbeizuführen. Sie sind Sturmbock und Rückgrat bei Angriffen 10
und Gegenstössen. An Offiziere und Soldaten werden in der
Ausbildung und im Gefechtseinsatz hohe Anforderungen gestellt.
Die reibungslose Zusammenarbeit innerhalb der Einheiten und
Verbände beim Fahren, Funken und Schiessen auf der Grundlage einer vorbildlichen Kameradschaft, ist Voraussetzung für 15
den Erfolg im Gefecht.
Die österreichische Panzertruppe hat von den Grossmächten
im Zuge des Abschlusses des Staatsvertrages Panzer erhalten.
Darüber hinaus bildete der Ankauf englischer und französischer
Panzer die Grundlage für den Aufbau der österreichischen 20
Panzerwaffe. Die österreichische Panzertruppe verfügt gegen-
wärtig über die amerikanischen Typen N 47, M 41 und M 24,
den russischen Typ T 34/85 und den französischen Jagdpanzer
AMX 13, sowie den englischen Charioteer.
Die Panzergrenadiere sind die Infantrie der Panzertruppe. 25
Sie kämpfen gemeinsam mit den Panzerbesatzungen, sei es von
einem Schützenpanzerwagen aus oder abgesessen, dabei jedoch
im Schutze der Feuerkraft der Panzer.
Die Panzeraufklärer bringen der Führung die Nachrichten

* From: *Österreichisches Jahrbuch* 1959. Wien 1960. Druck und Verlag
der Österr. Staatsdruckerei. Pp. 180–181.

der **Feind** enemy
die **Versammlung / der Raum**
assembly, concentration / area
die **Stärke** strength
die **Richtung** direction
gleichzeitig simultaneously
erkunden to ascertain,
reconnoiter
die **Beschaffenheit** condition, state
(of ground)
die **Tragfähigkeit** load capacity
der **Bau, die Bauten** construction
die **Meldung** report (of information)
der **Entschluss / die Fassung**
decision / formulation
der **Panzerjäger** antitank vehicle

zerschlagen to smash
die **Abwehr / die Stellung**
defense / position, emplacement
lauern to lurk, lie in wait
tief gestaffelt in deep echelon
(ment), displaced in depth
eindringen to penetrate, infil-
trate
die **Wechselstellung / der**
Wechsel alternate firing position / change, rotation
zwingen to force
das **Abdrehen** turning (*or* veering)
away
gelingen to succeed
angreifen to attack

über den Feind, seine Versammlungsräume, Stärke und Stoss-richtung. Gleichzeitig erkunden sie die Beschaffenheit des Geländes und die Tragfähigkeit von Brücken und Strassenbauten. Die Meldungen bilden die Grundlage für die Entschlussfassung der Führung.

Die Panzerjäger sollen feindliche Panzerangriffe zerschlagen. Aus erkundeten Abwehrstellungen lauern sie, nach Möglichkeit tief gestaffelt, auf den eindringenden Panzerfeind. Aus Wechsel-stellungen führen sie die Abwehr fort. Dadurch zwingen sie den feindlichen Panzerangriff zum Abdrehen, wenn es ihnen nicht gelingt, den angreifenden Panzerverband zu zerschlagen.

29

NEW TRAINING SHIP FOR THE NAVY OF THE FEDERAL REPUBLIC OF GERMANY

die Erhöhung increase
der Zerstörer destroyer
beantragen to propose
die Werft shipyard
vom Stapel laufen to launch
umfassen to include
betragen to amount to
das Schiff / der Antrieb ship, vessel / propulsion
PS (die Pferdestärke) HP (horsepower)
je each
die Stärke strength, power
somit thus, therewith
verfügen über to have at its disposal
der Verstellpropeller adjustable screw
der Festpropeller fixed screw
die Marschfahrt cruising speed
die Höchstgeschwindigkeit maximum speed
Sm/h (Seemeilen pro Stunde) nautical miles, knots
bewaffnen to arm
mm (das Millimeter) 1 inch = 2.54 mm
das Geschütz gun
der Einzelturm single turret
die Doppellafette double gun mount

die Besatzung crew
sich gliedern to be divided into
der Unteroffizier noncommissioned officer
die Mannschaft enlisted personnel
der Zivilangestellte civilian employee
der Beamte civil servant
bzw. (beziehungsweise) respectively; or
das Stammpersonal / der Stamm cadre / main body
erfahren (erfuhr erfahren) to learn, hear
der Schiffsneubau shipbuilding (in progress)
die Einzelheit detail
befindlich existing, to be found (at present) in
die U-Jagd-Waffe
das Unterseeboot (U-Boot) submarine
die Jagd hunt, chase
die Waffe weapon
ausrüsten to equip
die Forderung requirement
sich beziehen auf to refer to
ausschliesslich exclusively
ausschöpfen to exhaust
sich begnügen mit to be satisfied with

NEUES SCHULSCHIFF FUR DIE BUNDESMARINE*

Tonnageerhöhung für Zerstörer beantragt

Im November lief ein neues Schulschiff für Kadetten, das
die Kröger-Werft gebaut hat, in Rendsburg vom Stapel. Das
Schiff wird 4800 Tonnen umfassen. Seine Länge über alles
beträgt 137 Meter. Der Schiffsantrieb wird gebildet von
zwei Diesel-Mercedes- und zwei Diesel-Maybach-Motoren 5
von je 1670 PS. Hinzu kommt eine Ganz-Turbine von
8000 PS. Die Gesamtstärke beträgt somit 14 680 PS. Das
Schiff verfügt über drei Propeller (zwei Verstell- und einen
Festpropeller). Es macht eine Marschfahrt von 18 Seemeilen
pro Stunde, die Höchstgeschwindigkeit liegt bei 20 Sm/h. Das 10
Schiff wird bewaffnet mit vier 100-mm-Geschützen in Einzel-
türmen, zwei 40-mm-Geschützen in Doppel- und zwei 40-mm-
Geschützen in Einzellafetten. Die Besatzung gliedert sich in
33 Offiziere, 111 Unteroffiziere, 126 Mannschaften und sieben
Zivilangestellte bzw. Beamte des Stammpersonals sowie in 250 15
Kadetten. Weiter erfuhren wir über Schiffsneubauten noch
folgende Einzelheiten.
Die bisher bereits vom Stapel gelaufenen Zerstörer „Hamburg" und „Schleswig-Holstein" sowie die noch im Bau be-
findlichen zwei Zerstörer der gleichen 3000-Tonnen-Klasse 20
(Stülckenwerft) werden mit 100-mm- und 40-mm-Geschützen,
dazu Torpedos und U-Jagd-Waffen ausgerüstet.
Die Tonnageerhöhung auf über 3000 Tonnen, die auf Grund
der militärischen Forderungen der NATO bei WEU beantragt
ist, bezieht sich ausschliesslich auf Zerstörer. Dabei soll jedoch 25
nicht das Tonnage-Limit von 6000 Tonnen ausgeschöpft werden;
denn die Bundesmarine wird sich generell mit rund 5000 Ton-

* From: Soldat und Technik 11/1960. P. 571. By kind permission of
Umschau Verlag, Frankfurt am Main.

bedürfen to require
umfangreich extensive, voluminous
die Verbesserung improvement
die Luftabwehr-Einrichtung
   die Luftabwehr (**die Luft** / **die Abwehr**) anti-aircraft defense (air / defense)
   die Einrichtung arrangement; device

die Seacat-Fla-Rakete / **Fla** = **die Flugabwehr** "Seacat" anti-aircraft rocket / anti-aircraft defense
ausstatten to equip, fit
das Reissbrett (**reissen** / **das Brett**) drawing board (to design, draw / board)
fertigstellen to get ready

nen begnügen. Diese Zerstörer, zu denen die „Hamburg"-Klasse nicht gehört, bedürfen einer grösseren Tonnage wegen ihrer umfangreicheren Elektronik sowie wegen der Verbesserung der Luftabwehr-Einrichtungen. Die 5000-Tonnen-Zerstörer will man mit Seacat-Fla-Raketen ausstatten. ⁵

Auf dem Reissbrett wurden die Konstruktionspläne für zwölf 350-Tonnen-U-Boote fertiggestellt.

30

SCIENTIFIC METHODS USED IN ETHNOLOGY

das **Hauptgebiet** / das **Gebiet**
  chief area / area
der **Ursprung** origin
ermitteln to ascertain
das **Studium** study
das **Feld** / die **Arbeit** field / work
zugänglich accessible
die **Forschung** investigation,
  research
verschliessen to close
im **wesentlichen** essentially
lediglich merely, solely
d.h. (das heisst) i.e. (that is)
der **Grad** degree
die **Wahrscheinlichkeit**
  probability
erforschen to investigate, explore
in **jüngster Zeit** recently
naturwissenschaftlich natural
  science

dienstbar serviceable
planmässig methodical, on
  schedule
die **Einführung** introduction
zufällig chance, fortuitous
die **Entdeckung** discovery
die **Brauchbarkeit** usefulness,
  fitness
zugute kommen to be an advantage to
die **Bedeutung** significance
günstig favorable
der **Fall** case
das **Datum**, die **Daten** date
  (calendar)
der **Altersring** / das **Alter** growth
  ring / age
beobachten to observe
die **Holzkohle** charcoal
der **Kohlenstoff** carbon (C)

NATURWISSENSCHAFTLICHE METHODEN
DER VÖLKERKUNDE*

Von den zwei Hauptgebieten der Wissenschaft vom Menschen und seinen Kulturen— a) die Völker und Kulturen zu verstehen, wie sie wirklich sind, b) die Ursprünge der Völker und Kulturen zu ermitteln—ist das erste Gebiet dem Studium durch Feldarbeit zugänglich, während der Komplex der genetischen 5 und historischen Fragen bis vor kurzem empirischer Forschung verschlossen war und im wesentlichen lediglich theoretisch, d.h. nur bis zu einem gewissen Grade der Wahrscheinlichkeit, erforscht werden konnte. Erst in jüngster Zeit sind exakte naturwissenschaftliche Methoden der Wissenschaft vom Men- 10 schen dienstbar gemacht worden. Hierbei handelt es sich nicht um planmässige Einführung solcher Methoden, sondern um zufällige Entdeckung ihrer Brauchbarkeit für die Probleme der Wissenschaft vom Menschen. Einige dieser Methoden kommen der Archäologie, insbesondere der prähistorischen Archäologie, 15 zugute. Von im engeren Sinne völkerkundlicher Bedeutung sind: erstens die Dendrochronologie, d.h. die Ermittlung relativer und—in günstigen Fällen—absoluter Daten durch Studium der Altersringe von Bäumen, beobachtet im Holz oder in Holzkohle; zweitens die Radiocarbondatierung (oder „Kohlenstoff- 20 14-Methode"), und drittens die Blutgruppenforschung.

* From: Leonhard Adam und Hermann Trimborn, *Lehrbuch der Völkerkunde*. Dritte Auflage. 1958. Pp. 26–27. By kind permission of Ferdinand Enke Verlag, Stuttgart.

EARLY SETTLEMENT AND CULTURES OF THE ALPS

die **Besiedlung** settlement
die **Zwischeneiszeit** interglacial period
die **Erforschung** investigation
die **Siedlung / die Spur** settlement / trace
vergangen past, last
der **Fortschritt** progress
nachweisen (wies . . . nach nachgewiesen) to establish, demonstrate
die **Anzahl** number
der **Wohnplatz** residence (site)
die **Steinzeit** Stone Age
das **Werkzeug** tool
der **Jäger** hunter
das **Fell** skin, hide
bewohnen to inhabit
die **Höhle** cave
der **Fundplatz** site where a find is made
(auf)lauern to lie in ambush, lurk
das **Ungetüm** monster
der **Fels / der Vorsprung** rock cliff / projection, prominence
eng narrow
der **Streich** stroke, blow
die **Schläfe** temple
einschlagen to knock or break in
die **Waffe** weapon

das **Gerät** implement, tool
kantig edged, angular
spitzig pointed
das **Gestein** rock, stone
der **Knochen** bone
die **Nahrung** nutrition, food
sich verschaffen to procure, obtain
das **Sammeln** collecting
liefern to supply
das **Gebirge** mountain(s)
d. i. (das ist) that is
die **Kälteperiode** Ice Age
die **Würmeiszeit (die Würm:** Upper Bavarian river) the last Ice Age
der **Gelehrte** scholar
hernach afterwards
die **Donau** Danube
die **Talschaft** valley, "valley-scape"
besiedeln to settle, colonize
die **Jüngere Steinzeit** late Stone Age
zurecht schleifen zu (schliff geschliffen) to grind, polish, whet (into shape)
die **Axt** axe, hatchet
der **Stiel** handle, stick
das **Ufer** shore
betreiben to carry out

FRÜHE BESIEDLUNG UND KULTURZEITEN DER ALPEN*

Die Alpen waren den Menschen schon in der letzten Zwischeneiszeit bekannt. Die Erforschung der ältesten Siedlungsspuren hat besonders in den vergangenen zwanzig Jahren grosse Fortschritte gemacht und wies eine Anzahl von Wohnplätzen aus der älteren Steinzeit nach; so heisst die früheste Kulturzeit nach 5
den Steinwerkzeugen. Die Steinzeitmenschen waren Jäger, lebten einfach, kleideten sich in Felle und bewohnten Höhlen. Ein solcher Fundplatz ist die Drachenhöhle im Rötelstein bei Mixnitz im Murtal, unterhalb Bruck. Die ersten Steinzeitmenschen jagten den Höhlenbären. Sie lauerten dem Ungetüm, 10
das um ein Drittel grösser war als unser Bär, an Felsvorsprüngen und Engpässen auf und schlugen ihm mit einem sicheren Streich die Schläfen ein. Die Waffen und Geräte bildeten kantige oder spitzige Gesteinsstücke und scharfe Knochenteile der Jagdtiere. Die Nahrung verschaffte sich der Höhlen- 15
bewohner durch Jagd und Sammeln von Früchten, wie sie die Natur lieferte. Andere Funde der älteren Steinzeit, ausser der Drachenhöhle, sind Siedlungsreste im Toten Gebirge (Salzofen bei Aussee und Warscheneck) und in der Gamssulzen, d. i. eine Höhle am Gleinkersee in Oberösterreich. Die letzte Kälte- 20
periode, die Würmeiszeit, wie die Gelehrten sagen, machte allem organischen Leben in den Alpentälern wieder ein Ende. In wärmeren Zeiten hernach wurden die Vorlande an der Donau, dann aber auch die besten Talschaften der Alpen neu besiedelt und blieben es immer bis heute. Die Kultur dieser *Jüngeren* 25
Steinzeit war höher, man schliff Steinwerkzeuge zu Waffen und Geräten zurecht; die Äxte steckten an einem Holzstiel. Im Alpenvorland, in den Alpentälern und an den Seeufern betrieb

* From: Dr. Hermann Gsteu, *Länderkunde Österreichs*. Zweite Auflage. 1948. Pp. 35–37. By kind permission of Tyrolia-Verlag, Innsbruck, Wien.

der **Ackerbau** agriculture
das **Vieh** / die **Zucht** cattle,
stock / breeding, raising
verwenden to use, apply
verziert decorated, ornamented
die **Töpferei** pottery
vordringen to advance
günstig favorable, suitable
zunehmen to grow, increase
der **Pfahlbau** / der **Pfahl** pile-work, lake-dwelling / pole, pile
entstehen to arise
das **Gestade** shore, beach, bank
der **Bodensee** Lake Constance
Krain mountainous and basin land
(Yugoslavia)
ehemalig former
gleichen (**glich geglichen**)
to resemble
mittelalterlich medieval
die **Burg** stronghold, fortress,
castle
bewachen to guard
das **Kupfer** / der **Handel**
copper / trade, commerce
der **Bergbau** mining
dauerhaft durable
herstellen to produce
das **Zinn** tin (Sn)
die **Bronzezeit** Bronze Age
erhalten to obtain
die **Bedeutung** significance
das **Lager** deposit

in **Betrieb stehen** to be in operation
ausgraben (**grub . . . aus ausgegraben**) to excavate
der **Stollen** / die **Anlage** mine
gallery, tunnel / installation
bearbeiten to work on (*or* over)
der **Aufzug** elevator, crane
die **Treppe** steps (cut into rock)
die **Verschalung** planking,
covered with boards
die **Feuerstelle** hearth
benachbart neighboring
verarbeiten to work (up into something)
der **Zierat** ornament, decoration
die **Gusswerkstätte** foundry
die **Fundstelle** site where a find
is made
der **Pfad** path, route
der **Bronzefund** bronze finding
in **2300 m Höhe** at a height of
2300 meters (altitude)
prächtig magnificent, superb
der **Helm** helmet
die **Schutzlage** defensive position
schliessen aus to gather from,
conclude from
dicht dense
verhandeln to barter, trade
1000 v. Chr. (**vor Christus**)
1000 B.C. (before Christ)

man bereits Ackerbau und hielt Haustiere. Man kannte die Viehzucht und verwendete verzierte Töpfereien. Im Süden war diese Kultur schon bis Klausen im Eisacktale vorgedrungen. Es scheint ein besonders warmes, günstiges Klima gekommen zu sein, denn die Besiedlung nahm rasch zu. Pfahlbauten entstan- 5 den an den Gestaden des Mondsees, des Attersees, des Traun- sees, an den Kärntner Seen, am Bodensee und im Laibacher Moor im ehemaligen österreichischen Krain. Befestigte Sied- lungen glichen in ihrer Lage nicht wenig unseren mittelalter- lichen Burgen. Eine solche stand auf dem Rainberg bei Salz- 10 burg, eine zweite auf dem Götschenberg bei Bischofshofen, eine dritte bei Kuchl im Salzachtale. Sie bewachten den Kupfer- handel im Salzburgischen.

Am Ende der Steinzeit kannte man schon den Bergbau. Deshalb gab es auf einmal so viele neue Siedlungen im Salzach- 15 tal und in den Kitzbüheler Alpen. Dauerhafte Werkzeuge und bessere Waffen liessen sich aus Kupfer aber erst herstellen, nachdem man diesem Zinn beimischen lernte und so die härtere Bronze gewann. Die *Bronzezeit* dauerte etwa von 1700 bis 1000 vor Christus. Jetzt erhielten unsere Alpen besondere Bedeu- 20 tung wegen ihrer Kupferlager. Kupferbergwerke standen in Betrieb auf der Kelchalpe bei Kitzbühel und auf dem Mitter- berg bei Bischofshofen. In unserer Zeit grub man jene Stollen- anlagen wieder aus, so wie sie damals bearbeitet worden waren: mit Werkzeugen, Aufzügen, Treppen, Verschalungen und 25 Feuerstellen. In den benachbarten Talschaften der Bergwerke verarbeitete man das Metall zu Geräten, Waffen und allerlei Zierat. Eine Gusswerkstätte war in der Tischoferhöhle bei Kufstein. Eine andere Fundstelle ist auf der Hohen Salve. Über die wichtigsten Alpenpässe führten schon Handelspfade; 30 so ging man über das Reschenscheideck, über den Brenner, ja auf dem Tuxer Joch machte man einen Bronzefund in 2300 m Höhe: einen prächtigen Bronzehelm im Pass Luegg. Siedlungen standen in Schutzlage auf Felsvorsprüngen. Es muss eine krie- gerische Zeit gewesen sein, was auch aus den Waffen zu schlies- 35 sen ist. In Südtirol fand man weit über 200 solcher Siedlungen. Dicht war die Besiedlung natürlich dort, wo Kupfer gewonnen, Werkzeuge gehämmert oder verhandelt wurden. Bis etwa 1000 v. Chr. arbeitete man in den Alpengegenden mit Bronze-

das **Eisen**   iron (Fe)
gründlich   thorough
die **Änderung**   modification, change
das **Metall** / die **Verarbeitung**   metal / working
die **Schmiedekunst**   art of forging
allerdings   to be sure
schmelzen (schmolz geschmolzen)   to melt, smelt
der **Klumpen**   mass
zusammenrinnen   to run, trickle together
das **Gusseisen**   cast iron
der **Stahl**   steel
das **Schwert**   sword
damalig   of that time

ungeschickt   awkward , unskillful
der **Hieb**   blow
geradetreten (trat . . . gerade geradegetreten)   to straighten, make straight
betreiben (betrieb betrieben)   to operate
die **Werkstätte**   workshop
der **Hauptfundplatz**   chief site where a find is made
die **Ältere Eisenzeit**   early Iron Age
das **Gräberfeld** (das **Grab,** die **Gräber**)   burying ground
die **Jüngere Eisenzeit**   late Iron Age
der **Fundort**   site of a find

geräten, bis auch hier das Eisen bekannt wurde. Dies brachte gründliche Änderung, sowohl in der Metallverarbeitung als auch im ganzen Kulturleben. Die Schmiedekunst war allerdings sehr einfach. Man schmolz das Eisen nur bis es in weichen Klumpen zusammenrann. Gusseisen oder Stahl gab es noch 5 nicht. Die Schwerter der damaligen Krieger mussten nach einem ungeschickten Hieb wieder geradegetreten werden. Eine sehr geschickt betriebene Werkstätte stand in Noreia. Der Hauptfundplatz der älteren Eisenzeit ist das Gräberfeld bei Hallstatt, das der ganzen Kulturepoche den Namen *Hallstatt-* 10 *zeit* gab. Die jüngere Eisenzeit ist nach einem Fundort am Neuenburger See *La-Tène-Zeit* benannt.

SHAMANISM AND MEDIUMISM

der **Schamane** medicine man, shaman
der **Zusammenhang** connection, context
der **Begriff** concept
die **Forschung** research, investigation
stammen to originate
verwenden to use, apply
wenngleich although
inhaltlich content-wise
mehr oder minder more or less
verwandt related
bzw. (beziehungsweise) respectively; or
folgendermassen as follows
griechisch Greek
die **Verzückung / der Zustand** ecstasy / condition
traumhaft as in a dream
die **Erscheinung** vision, apparition
die **Wahrheit** truth
erschliessen to reveal
die **Stimme** voice
erfolgen to occur

der **Sinn / der Reiz** sense / stimulus
die **Empfindung** sensation, perception
einschränken to restrict, limit
unvermutet unexpected, unforeseen
absichtlich intentional
z. B. (zum Beispiel) for example
angenehm pleasant
empfinden (empfand empfunden) to perceive
verbreiten to spread, diffuse
völkerpsychologisch ethnopsychological
hochwichtig highly important
das **Hinübergehen** going over, transition
die **Bezeichnung** designation
geartet conditioned, formed
umhergehen to walk about
auffällig striking, extraordinary
seelisch psychic, inner
die **Fähigkeit** ability, capacity
der **Versuch** experiment
entwickeln to develop

32

SCHAMANENTUM UND MEDIUMISMUS*

Im Zusammenhang mit den schamanischen Produktionen wird
in der ethnologischen Literatur natürlich immer wieder von
Ekstase gesprochen, während der Begriff Trance, der aus der
hypnotischen und mediumistischen Forschung stammt, von den
Ethnologen weniger verwendet worden ist, wenngleich beide 5
letztlich inhaltlich mehr oder minder stark verwandt, bzw.
miteinander identisch sein dürften.

Der Psychologe Giese definiert Ekstase folgendermassen:
„Ekstase (griechisch *ekstasis* Verzückung) Verzückungszustand,
in dem traumhaft Erscheinungen gesehen, Wahrheiten erschlos- 10
sen, Stimmen gehört werden: meist in religiösem Zusammenhang
erfolgend. Für Sinnesreize sind in der Ekstase die Empfindun-
gen meist eingeschränkt. Sie erfolgt unvermutet oder absichtlich, z. B. durch Selbsthypnose. Subjektiv wird Ekstase als
angenehm empfunden. Weitverbreitete, völkerpsychologisch 15
hochwichtige Erscheinung".

Über den zweiten Begriff heisst es bei dem gleichen Autor:
„Trance (englisch von lateinisch *transitus* das Hinübergehen)
Bezeichnung für den tiefhypnotischen, meist somnambul gearte-
ten Zustand von Medien". Unter „somnambul" wird dabei 20
folgendes verstanden: „Somnambulie (lateinisch *somnus* Schlaf,
ambulare umhergehen) Somnambulismus. Hypnotischer Zustand, in dem auffälligste seelische Fähigkeiten der Versuchs-
person sich entwickeln können. So auch Clairvoyance, Tele-
pathie". 25

* From: Hans Findeisen, *Schamanentum.* 1957. P. 180. By kind permission of W. Kohlhammer Verlag, Stutt.gart

119

POPULATION

auffällig obvious, conspicuous
die Ballung / die Städteballung
  agglomeration / conurbation
die Siedlung / der Platz settlement / place, area
der Mensch (die Menschen) / die
  Zahl person (people) / quantity, number
angehen to concern
befriedigend satisfactorily
ermitteln to ascertain
der Geigerzähler Geiger counter
die Verwaltung / die Grenze
  administration / border, limit
die Erhebung / der Bezirk cen-
  sus / district
das Gefüge structure, joining
verhindern to hinder
zuverlässig reliable
die Erfassung registration
sonstwie otherwise
die Näherung / der Wert ap-
  proximation / value

die Weltstadt metropolis
die Ziffer figure, cipher
verlangen to demand
Gross-Tokio greater Tokyo (Tokyo
  and surrounding area)
der Raum area
Einw. (der Einwohner) inhabitant
gering slight
Kapstadt Cape Town
die Reihe sequence, series
übertreffen (übertraf übertroffen)
  to surpass
der Rausch intoxication, delirium
genehmigt approved
die Bebauung construction
vorsehen to provide, consider
das Verhältnis relation
der Abstand difference
das Wachstum growth
sich abzeichnen to stand out
vorliegend present, available
die Regel rule

EINWOHNERZAHL*

Das so auffällige Phänomen der Ballung von Menschen in grossen Siedlungsplätzen lässt sich, was die Menschenzahl angeht, nicht befriedigend ermitteln. Es gibt keinen Geigerzähler für Menschenmassen. Die bekannten Unterschiede zwischen Verwaltungsgrenzen sowie statistischen Erhebungs- 5 bezirken einerseits und städtischem Siedlungsgefüge andererseits verhindern eine absolut zuverlässige Erfassung der Menschenzahl. Die Auswege, mögen sie nun „Gross-X-Stadt" oder „Metropolitan Area" oder „Urbanized Area" oder sonstwie heissen, bringen Näherungswerte für den Siedlungsplatz Welt- 10 stadt, aber keine exakten Ziffern. Vielleicht ist dies gar nicht zu verlangen.

Die grössten Einwohnerzahlen unter unseren Beispielen haben Gross-Tokio sowie die Ballungsräume von Paris und Chicago, alle mit 6,5 und 7,6 Mill. Einw. Die geringste Einwohnerzahl 15 hat Kapstadt mit 2/3 Millionen. Ausserhalb der Reihe unserer Beispiele liegt der statistische Maximalwert von Gross-New York mit 15 Mill., noch übertroffen von dem Zahlenrausch von theoretisch 21 Mill. Einw., die die schon 1913 genehmigten Bebauungspläne für Berlin vorgesehen haben sollen.† 20

Im Verhältnis zu den anderen Grossstädten ihres Landes sind Berlin, Paris, Rom, Stockholm, Tokio und Calcutta mit mehr oder weniger weitem Abstand die einwohnerreichsten. An zweiter Stelle ihres Landes stehen Chicago und Kapstadt.

Für das Wachstum der Weltstädte zeichnet sich aus dem vor- 25 liegenden Material keine allgemeine Regel ab. Sehr schnell ver-

---

* By kind permission: Mit Genehmigung des Verlag Walter de Gruyter & Co. Berlin, entnommen aus „Zum Problem der Weltstadt" (Festschrift zum 32. Deutschen Geographentag in Berlin 1959). Herausgegeben von Joachim H. Schultze. Pp. XII–XIII.
† Nach Hans Herzfeld: „Berlin als Kaiserstadt und Reichshauptstadt." (In: Das Hauptstadtproblem in der Geschichte. Tübingen 1952.) S. 153.

zeitweise at times
erleben to experience
die Jahrhundertwende / die Wende turn of the century / turn(ing point)
gegenwärtig currently
die Mischung mixture
die Bevölkerung population
auffallen to become obvious
die Untersuchung examination, investigation
deutlich distinct, clear
der Mischling hybrid, mixed racially

nebst together with
die Einwohnerschaft population, inhabitants
sich unterscheiden to differ
der Ausländer foreigner
zusammensetzen to compose
im Grunde basically, fundamentally
der Angehörige one who belongs to a group
allerdings to be sure, of course
pflegen to usually (do), be used to
verschieden various
das Gebiet area, province

grösserte sich zeitweise Rom (um 54% in den Jahren 1881–
1901, um 44% in den Jahren 1936–51). Berlin erlebte sein
stärkstes Wachstum in den 1870iger Jahren und um die Jahrhundertwende. Dagegen wächst Chicago gegenwärtig langsa-
mer als andere Grossstädte in den USA (Los Angeles, Houston, 5
Miami).

Eine starke nationale Mischung der Bevölkerungselemente
fällt in einigen Untersuchungsstädten auf, am deutlichsten in
Kapstadt mit seinen 47% Mischlingen (Cape coloured, Kap-
malayen), 43% Weissen und 10% Bantus nebst Asiaten. Na- 10
tional sehr gemischt ist auch die Einwohnerschaft Chicagos,
das sich darin aber kaum von den meisten amerikanischen
Städten unterscheidet. Die Weltstädte Europas wie auch Japans
zählen zwar Zehntausende Ausländer als Einwohner, setzen sich
im Grunde aber doch aus Angehörigen der eigenen Nation 15
zusammen—diese allerdings pflegen aus den verschiedensten
Gebieten des Staates zu kommen.

CHEMICAL EXAMINATION OF BLOOD SERUM

enthalten to contain
zahlreich numerous
die Nahrung nourishment
erfüllen to fulfill
im wesentlichen / das Wesen
  essentially / essence
das Mittel means
der Abfall / der Stoff waste /
  material
der Stoffwechsel metabolism
auffinden to discover, find out
der Inhalt content(s)
wachsen to grow
zusammengesetzt complex, compound
s. S. (siehe Seite) see page
wirken to act
das Einschleussmittel vehicle,
  "sluicing-in" medium
der Entgifter detoxifier
abgesehen von apart from, not to
  mention
der Vorgang process
das Ufer bank, shore
der Abwehrkörper (die Abwehr /

der Körper) antibody (defense /
  body)
das Ferment enzyme
usw. (und so weiter) and so forth
bereithalten to hold in readiness
das Zwischenprodukt intermediate product
**die Blutbahn (das Blut / die
  Bahn)** circulatory system
  (blood / course, channel)
eingreifen to come into operation,
  intervene
vernachlässigen to neglect
ausmachen to constitute
die Eigenschaft characteristic
der Blutweg (*see* **die Blutbahn**)
das Erfolgsorgan effector organ
gelangen to reach
das Wesen essence, being
an sich *per se*
aufnehmen to absorb, pick up
geeignet suitable, appropriate
die Auskunft information
der Zustand condition, state

34

DIE CHEMISCHE UNTERSUCHUNG
DES BLUTSERUMS*

Das Blutserum enthält noch zahlreiche organische und anorganische Stoffe, die viele Funktionen im Organismus zu erfüllen haben. Dachte man früher bei dem Blutserum im wesentlichen nur an ein Transportmittel für Wärme, resorbierte Stoffe aus der Nahrung und für die Abfallstoffe des Stoffwechsels, so ist die ₅ Zahl der aufgefundenen Funktionen seiner Inhaltstoffe jetzt stark gewachsen und wird weiter wachsen.

Über die Rolle der einfachen und zusammengesetzten Proteine im Blutserum s. S. 283. Praktisch wirken sie einerseits als Einschleussmittel in die Zellen, andererseits als Entgifter, ab- ₁₀ gesehen von dem Transportvorgang. Die am „Ufer des Blutstromes" gebildeten Abwehrkörper, wie Antitoxine, Agglutinine, Antifermente usw. werden ebenfalls im Blutserum bereitgehalten.

Für Zwischen- und Endprodukte des intermediären Stoffwechsels ist die Blutbahn die Transportstrasse, doch greifen auch ₁₅ diese Stoffe ebenso wie die früher recht vernachlässigten anorganischen Ionen regulierend in funktionelle Systeme des Körpers ein. Bei den Hormonen macht diese Eigenschaft, von dem Produktionsorgan über den Blutweg an das Erfolgsorgan zu gelangen, einen Teil ihres Wesens und ihre Definition aus. So ₂₀ ist das Blutserum zwar kein Organ an sich, noch nimmt es Substanzen so vieler Organe in sich auf, dass es gut geeignet ist, Auskunft über den Zustand des Körpers zu geben.

* From: F. Müller, O. Seifert, H. Frh. von Kress, *Taschenbuch der Medizinischen Diagnostik*. 67. Auflage. 1959. P. 311. (This topic revised by H. Wleler.) By kind permission of Verlag J. F. Bergmann, München.

THE PHYSICAL PHASES OF MATTER

der Aggregatzustand (das Aggregat / der Zustand) physical phase (agglomeration / state)
das Vorkommen occurrence
unterscheiden to differentiate
die Art way, manner
die Beziehung respect, connection
flüssig fluid
besitzen to possess
die Eigenschaft characteristic
z. B. (zum Beispiel) for example
das Zerstossen pounding, breaking up
das Auflösen dissolving, decomposition
das Verdampfen evaporating, evaporation
zerlegen to analyse, separate, divide
erhalten to obtain
unteilbar indivisible
sich befinden to be, be found
stetig constant
die Bewegung motion
unvorstellbar unimaginable

einheitlich uniform, homogeneous
aufbauen to build up
weder ... noch neither ... nor
in der Regel as a rule
bestehen to exist
bestrebt sein to have the tendency to
sich untereinander verbinden to bind themselves together
eben level, plane
die Fläche surface (area)
begrenzen to limit, define, be bound
benachbart neighboring
sich schneiden to intersect
die Kante edge
die Ecke corner
einschliessen to include, form (an angle
der Winkel angle
betreffend in question, concerned
gleichbleibend constant
deutlich distinctly
erkennen to recognize
bestimmt definite

35

DIE AGGREGATZUSTÄNDE DER STOFFE*

In dem gewöhnlichen Vorkommen unterscheiden sich die Körper durch die Art, wie ihre Moleküle ein Ganzes bilden. Man unterscheidet in dieser Beziehung drei Aggregatzustände: den festen, den flüssigen und den gasförmigen. Alle Stoffe besitzen die Eigenschaft, sich auf mechanischem 5 Wege, z. B. durch Zerstossen, Auflösen, Verdampfen, in kleinere Teile zerlegen zu lassen. Die so erhaltenen kleinsten, in physikalischem Sinn unteilbaren Massenteilchen eines Stoffes heissen *Moleküle oder Molekeln.*

Die Moleküle eines Stoffes befinden sich in stetiger Bewegung; 10 diese kann unvorstellbar klein (fester Körper) oder, wie bei den Gasen, sehr gross sein. Alle Moleküle eines einheitlichen Stoffes sind gleich.

Aufgebaut ist das Molekül aus *Atomen,* das sind kleinste Teilchen, die weder im physikalischen noch im chemischen Sinne 15 zerlegbar sind.† Sie können in der Regel für sich allein nicht bestehen, da sie bestrebt sind, sich untereinander zu verbinden.

1. Feste Stoffe. Bei den festen Körpern unterscheidet man einen kristallinischen und einen amorphen Zustand.

Ein *Kristall* ist ein von ebenen Flächen begrenzter Körper. 20 Zwei benachbarte Flächen schneiden sich in einer Kante oder Ecke und schliessen einen Winkel ein, dessen Grösse für die betreffende Kristallform einen ganz bestimmten, immer gleichbleibenden Wert hat. Auch *kristallinische* Substanzen bestehen noch aus Kristallen, nur sind die einzelnen Formen an ihnen 25 nicht mehr deutlich zu erkennen.

Amorphe Körper dagegen sind nicht an bestimmte Flächen

* By kind permission: W. Wittenberger, Chemische Laboratoriums-technik, 5. Aufl. Wien: Springer-Verlag 1957. Pp. 55–56.
† d. h., die kleinste Einheit eines chemischen Elements, die aber in kleinere „Elementarteilchen" zerlegt werden kann.

gebunden sein an to be bound to
sich verhalten to maintain itself, behave
die Richtung direction
annehmen to take (on), assume
die Gestalt form
bezeichnen to designate
das Schütteln shaking
das Rühren stirring
verflüssigen to liquefy
das Aufhören stopping
die Beanspruchung stress, strain
ursprünglich original
erreichen to attain
die Flüssigkeit liquid
die Änderung change, modification
die Menge amount
das Gefäss vessel
einzeln individual
verschiebbar displaceable
der Zwischenraum interstitial space
zusammendrückbar compressible
völlig completely
lose loose
die Aneinanderlagerung layering of one against the other
in hohem Grade to a high degree
verhältnismässig relatively
L (der, das Liter) 1.06 quart
das Quecksilber / die Säule mercury (Hg) / column

der Barometerstand barometer reading (*or* height)
die Bedingung condition
ineinander übergehen to phase into one another
der Übergang transition
die Vergrösserung enlargement
auseinanderrücken to move apart (from each other)
verlassen to leave
die Anordnung arrangement
schmelzen to melt
die Rückverwandlung re-transformation, reverse change
das Erstarren solidification, chilling
das Gefrieren freezing
die Lösung solution
ausscheiden to separate (out)
verwandeln to transform
die Oberfläche surface
dampfförmig vapor(ous)
die Lage position
verdunsten to evaporate, vaporize
fortgesetzt continued
geschehen to occur, happen
lebhaft vigorous
das Aufwallen ebullition, boiling (up)
sieden to boil
verdampfen (*see* das Verdampfen)
bezeichnen to designate
der Vorgang process

oder Winkel gebunden, sie verhalten sich nach allen Richtungen gleich. Sie nehmen daher niemals eine bestimmte Gestalt an. Beispiele: Glas, Gelatine.

Als *thixotrop* bezeichnet man einen Stoff, wenn er sich durch Schütteln oder Rühren verflüssigt und nach Aufhören der me- 5 chanischen Beanspruchung nach einer gewissen Zeit den ursprünglichen Zustand wieder erreicht (Viskositätsänderung).

2. Flüssigkeiten. Flüssigkeiten nehmen in grösseren Mengen stets die Form des sie einschliessenden Gefässes an, da die einzelnen Teilchen leicht gegeneinander verschiebbar sind. Sie sind 10 infolge der kleinen Zwischenräume zwischen den einzelnen Teilchen nur wenig zusammendrückbar.

3. Gase. Die gasförmigen Körper bilden völlig lose Aneinanderlagerungen ihrer Moleküle, weshalb sie in hohem Grade zusammendrückbar sind. Gase sind verhältnismässig leicht. 15 1 L Luft wiegt bei 0° und 760 mm Quecksilbersäule (Barometerstand) 1,293 g.

Unter gewissen Bedingungen können die einzelnen Aggregatzustände ineinander übergehen:

a) Übergang fest-flüssig. Die Moleküle eines festen Körpers 20 rücken bei der Erwärmung durch die Vergrösserung ihrer Bewegung immer weiter auseinander und verlassen endlich die Molekülanordnung: der feste Körper *schmilzt*.

b) Übergang flüssig-fest. Die Rückverwandlung einer Flüssigkeit in den festen Zustand nennt man *Erstarren* oder *Gefrieren*. 25 Aus einer Lösung wird der feste Körper durch *Kristallisation* ausgeschieden.

c) Übergang flüssig-gasförmig. Flüssigkeiten verwandeln sich bei jeder Temperatur an ihrer Oberfläche mehr oder weniger stark in den gas- oder dampfförmigen Zustand, indem die 30 Moleküle an der Oberfläche ihre Lage verlassen, die Flüssigkeit *verdunstet*. Bei fortgesetzter Erwärmung geschieht dies endlich in der ganzen Masse, bei lebhaftem Aufwallen der Oberfläche: die Flüssigkeit *siedet* und *verdampft*.

d) Übergang gasförmig-flüssig. Die Rückverwandlung von 35 Dämpfen in die flüssige Form heisst *Kondensation*.

Unter *Destillation* bezeichnet man jenen Vorgang, bei dem eine Flüssigkeit zuerst verdampft und dann wieder kondensiert wird.

entweder ... oder either ... or

die Abkühlung refrigerating, cooling

das Zusammendrücken compressing, compression

der Fall case

das Verflüssigen (*see* verflüssigen)

stattfinden to take place

das Jod (J) iodine (I)

sich vollziehen to take place, be effected

Die Kondensation von Dämpfen geschieht entweder durch Abkühlung oder durch Zusammendrücken. In letzterem Fall spricht man vom *Verflüssigen* der Gase.

e) Übergang fest-gasförmig-fest. Die Verdunstung an der Oberfläche findet auch bei manchen festen Körpern statt, ohne 5 dass diese vorher in den flüssigen Zustand verwandelt werden, beispielsweise beim Jod oder Campher, während andererseits auch die Rückwandlung aus dem Dampfzustand sich oftmals gleich in die feste Form vollzieht. Man nennt diesen ganzen Vorgang *Sublimation*. 10

OCCURRENCE AND SIGNIFICANCE
OF MICRO-ORGANISMS

der **Standort** location, (chief) place

überwiegen to preponderate, predominate

die **Mehrzahl** majority

der **Erdboden** (**die Erde** / **der Boden**) soil (earth / ground)

allgegenwärtig omnipresent, ubiquitous

die **Bedeutung** significance

die **Fülle** abundance

die **Hinsicht** respect, regard

überwältigen to overwhelm

die **Ackererde** arable soil

die **Milliarde** billion (*or* milliard)

beherbergen to lodge, shelter

der **Fingerhut** (**der Hut** / **die Hut**) thimble (hat / protection, guard)

enthalten to contain

der **Bewohner** inhabitant

berechnen to calculate

sich vorfinden to be, be found, occur

die **gesamte Oberfläche** total surface

qdm (**das, der Quadratdezimeter**) square decimeter (15.5 sq. in.)

sich belaufen auf to amount to

ähnlich similar

die **Verkleinerung** diminution, reduction

vergrössern to enlarge, increase

das **Verhältnis** proportion, ratio

ausschlaggebend decisive, of great influence

das **Mass** measure

gelten als to be considered as

errechnen to reckon

die **Zugrundelegung** basis

obig above

die **Zahl** number

das **Hektar** hectare (land measure) = 2.47 acres

das **Gewicht** weight

die **Masse** mass, quantity

betragen to amount to

allerdings however

bedenken to consider

der **Keim** / der **Gehalt** germ (inating organism) content

steigen to increase

abnehmen to decrease, reduce

36

VORKOMMEN UND BEDEUTUNG
DER MIKROORGANISMEN*

Der natürliche Standort für die überwiegende Mehrzahl der
Mikroorganismen ist der Erdboden. Von hier kommen sie
einerseits ins Wasser, andererseits durch den Wind in die Luft.
Sie sind praktisch „allgegenwärtig" in des Wortes wahrster
Bedeutung.   5
   Die Organismenfülle, sowohl in qualitativer wie in quantita-
tiver Hinsicht, ist überwältigend: Man hat gefunden, dass ein
Gramm guter Ackererde etwa eine Milliarde Mikroorganismen
beherbergt. Mit anderen Worten: Ein Fingerhut voll Ackererde enthält ebenso viele Mikroben wie unser Planet Bewohner 10
hat.—Berechnen wir nun das Volumen der Milliarde Mikroorganismen, die sich in einem Gramm Ackererde vorfindet, so
kommen wir zwar auf nur 2 cmm, ihre gesamte Oberfläche
aber wird sich auf 1 qdm belaufen, denn bei geometrisch ähn-
licher Verkleinerung vergrössert sich das Verhältnis von Ober- 15
fläche zu Volumen. Gerade dies ist von ausschlaggebender
Bedeutung, da die Oberfläche als das Mass der physiologischen
Aktivität gelten kann. — Errechnen wir nun, unter Zugrundelegung obiger Zahlen, die Oberfläche aller Mikroorganismen, die
ein Hektar Acker beherbergt, so kommen wir auf eine Mikroor- 20
ganismenoberfläche von 1000 Hektar. Das Gewicht dieser
Organismenmassen dürfte etwa zwei Tonnen betragen. Hierbei
ist allerdings zu bedenken, dass der Keimgehalt des Bodens mit
steigender Tiefe rasch abnimmt.
   In einem Kubikmeter Grossstadtluft hat man 300 bis 1500 25
Keime gezählt, in einem Kubikmeter reinsten Trinkwassers 100

   * By kind permission: Mit Genehmigung der FRANCKH'SCHEN
VERLAGSHANDLUNG, Stuttgart, entnommen aus H. Dittrich, „Bakterien, Hefen, Schimmelpilze." 1959. Pp. 7–10.

das Abwasser sewage, waste-water
aufdrängen to force upon
die Masse / die Unmasse quantity / enormous, vast quantity
annehmen to assume
gäbe (*subjunct. of* **geben**)
achtlos thoughtlessly
abreissen to tear off
wegwerfen (**warf... weg weggeworfen**) to throw away
austrocknen desiccate
die Leiche cadaver
kurzum in short
die Fäulnis putrefaction
die Verwesung decomposition, decay, putrefaction
der Abbau decomposition, (chemical) breakdown
das Eiweiss protein; (*sometimes* albumen, egg-white)
das Kohlenhydrat carbohydrate
das Fett fat
die Vielzahl multitude
der Teilschritt (intermediate, partial) step, stage
einfach simple
zerlegen to decompose, break down
vollziehen (**vollzog vollzogen**) to accomplish, bring about
ablösen to free, detach
fortsetzen to continue
die Kohlensäure carbonic acid

übrigbleiben to leave (over), remain
abgeben to give off
ungefähr approximate
der Begriff concept(ion), idea
aufnehmen to take up
aufbauen to build (up)
wiederum anew, fresh
angewiesen sein auf to depend upon
zerstören to destroy
abbauen (*see* **der Abbau**)
die Tätigkeit activity
der Kreislauf cycle, circulation
aufrechterhalten to maintain (in order)
die Aufeinanderfolge succession
vergehen to perish, pass
beanspruchen to claim, demand
befähigen to enable
der Luftstickstoff / der Stickstoff atmospheric nitrogen (N_2) / nitrogen (N)
zugänglich accessible
verwertbar utilizable
einige some
vergesellschaften to associate
die Wurzel root
der Wirt / die Pflanze host / plant
die Anschwellung swelling, tumor
segensreich blessed
entfalten to unfold, develop
allgemein general, common

Keime je Kubikmeter, in einem Kubikmeter Abwasser dagegen eine Million.

Diese fast astronomischen Zahlen drängen uns sofort die Frage nach der Bedeutung dieser Unmassen von Mikroben auf.

Nehmen wir an, es gäbe sie nicht. Eine Pflanze, von einem 5 Kinde achtlos abgerissen, würde dann da liegenbleiben, wo sie weggeworfen wurde. Sie würde rasch von der Sonne ausgetrocknet und so zur Mumie werden. Wie ihr würde es jeder pflanzlichen und tierischen Leiche gehen, kurzum, die Erde würde zum Leichenfeld. Mit dem Tode aber beginnt die 10 grosse Stunde der Mikroorganismen, denn was wir „Fäulnis" und „Verwesung" nennen, ist Abbau organischer Substanz. Eiweisse, Kohlenhydrate und Fette werden von den Mikroorganismen in einer Vielzahl von Teilschritten in einfachere und immer noch einfachere Stoffe zerlegt. Jeder Teilschritt wird 15 meist nur von einer darauf spezialisierten Gruppe von Mikroben vollzogen, sie wird danach abgelöst von der nächsten Gruppe, die dieses Abbauwerk weiter fortsetzt, bis letzten Endes Kohlendioxyd („Kohlensäure") und Wasser übrigbleiben.

Wenn wir bedenken, dass pro Jahr und Hektar etwa 6 bis 8 20 Tonnen Kohlendioxyd abgegeben werden, können wir uns einen ungefähren Begriff von der Intensität dieses Abbauwerkes machen.

Das Kohlendioxyd ist aber kein „Endprodukt", denn die grüne Pflanze nimmt es auf und baut aus ihm ihre Körpersub- 25 stanz auf. Auf sie, die grüne Pflanze, sind wiederum Mensch und Tier angewiesen.

Wir sehen also, dass die Mikroorganismen mit ihrer zerstörenden, abbauenden Tätigkeit den Kreislauf der Stoffe aufrechterhalten, in dessen Aufeinanderfolge Lebendes vergehen muss, 30 damit Neues werden kann.

Besonderes Interesse beanspruchen einige Mikroorganismen des Bodens, die dazu befähigt sind, den Luftstickstoff, der für die Pflanzen nicht zugänglich ist, zu binden und daher verwertbar zu machen. Einige leben frei im Boden, andere sind mit 35 höheren Pflanzen vergesellschaftet, sie leben in „Symbiose" mit ihnen. An den Wurzeln ihrer Wirtspflanzen bilden sie Anschwellungen, in denen sie ihr segensreiches Wirken entfalten.

Viel allgemeiner als bei Pflanzen ist die Symbiose mit Mikro-

der **Darm** bowel, intestine
die **Unzahl** enormously large number
wesentlich essentially
der **Anteil** part, share
darüber hinaus beyond that
die **Verdauung** digestion
versorgen to provide
kurz in short, briefly
die **Erhaltung** preservation
die **Gesundheit** health
das **Geschilderte** that which is described, demonstrated
die **Erzeugung** production
die **Nahrung** nourishment
das **Genussmittel** luxury items taken regardless of food value
die **Art** kind
die **Sauergurke (sauer / die Gurke)** pickle (sour / cucumber)
usw. (und so weiter) and so forth
das **Jahrzehnt** decade
der **Erfolg** success
bearbeiten to work over
wegdenken to imagine as nonexistent
sich handeln um to be a question of, concern
gärungstechnisch through (the technology) of fermentation

die **Gewinnung** obtaining, production, extraction
das **Lösungsmittel / die Lösung** solvent / solution
lebenswichtig vital
das **Arzneimittel** medicine, medicinal
die **Erzeugung** production
wertmässig value-wise
die **Spitze** head, lead
das **Ersatzmittel** substitute
die **Stellung** position
einnehmen to occupy
der **Gärungsweg** way of fermentation
die **Milchsäure** lactic acid
die **Zitronensäure** citric acid
die **Fumarsäure** fumaric acid
die **Gluconsäure** gluconic acid
das **Salz** salt
ausschliesslich exclusively
die **Aufzählung** enumeration
erwähnen to mention
der **Nutzen** utility, advantage
die **Erforschung** investigation
der **Vorgang** process
sich (daran) erinnern to remember (about it)
erarbeiten to earn, work out
die **Geburt** birth
angeben to give, state

ben bei Tier und Mensch. Unser Darm enthält eine Unzahl von Bakterien, die wesentlichen Anteil an der Verdauung haben, uns aber darüber hinaus wahrscheinlich noch mit Vitaminen versorgen, kurz, wesentlich für die Erhaltung unserer Gesundheit sind. 5

Sehr viel bekannter als das bisher Geschilderte ist den meisten die Tätigkeit der Mikroorganismen bei der Erzeugung von Nahrungs- und Genussmitteln. Wein und Bier, die vielen Käse- und Sauermilcharten, Sauerkraut und Sauergurken, Essig, usw., sind mikrobiologische Produkte, die wohl keiner missen möchte. 10

Ein sehr weites Feld, das erst in den letzten zwei bis drei Jahrzehnten mit grösstem Erfolg bearbeitet wurde, ist die technische Mikrobiologie. Sie ist aus unserer Zeit gar nicht mehr wegzudenken. Es handelt sich hierbei einerseits um die gärungstechnische Gewinnung von organischen Lösungsmitteln, wie 15 Alkohol, Aceton, Butanol, die für die organische Industrie lebenswichtig sind, andererseits um die mikrobielle Gewinnung von Arzneimitteln. Hier steht die Erzeugung der Antibiotika wertmässig weitaus an der Spitze. Aber auch die Gewinnung der meisten Vitamine, der Blutplasmaersatzmittel und der 20 Kreislaufmittel Ephedrin und Adenosintriphosphat haben grosse Bedeutung.

Eine Mittelstellung nehmen die auf dem Gärungswege gewonnenen organischen Säuren ein. Milchsäure, Zitronensäure und Fumarsäure haben teils rein technische Bedeutung, teils 25 sind sie für die Nahrungsmittelindustrie wichtig. Dagegen ist die Gluconsäure in Form ihres Kalziumsalzes ausschliesslich von therapeutischem Interesse.

Mit dieser Aufzählung sind noch lange nicht alle wichtigen Prozesse erwähnt, bei denen uns die Tätigkeit der Mikroorganis- 30 men Nutzen bringt. Die Erforschung vieler dieser Vorgänge steht erst am Anfang. Deshalb sollten wir uns auch daran erinnern, dass dieses Wissen Stück um Stück erarbeitet werden musste. Blicken wir deshalb kurz zurück auf die Geschichte unserer Wissenschaft. 35

Geschichte der Mikrobiologie

Als ihr „Geburtsjahr" kann man wohl 1683 angeben. In diesem Jahre sah der Holländer Antonij van Leeuwenhoek,

der **Liebhaber** amateur
der **Zahn** / der **Belag** tooth / coating, film
die **Grundform** basic shape
die **Kokke** coccus
das **Stäbchen** rod
das **Biesterchen** little beast (van Leeuwenhoek wrote in 1693: „Lieve God, wat zijnder al wonderen in soo een kleyn schepsel " ("Oh Lord, what all are the marvels in such a small creature")
damalig of that time, then
selbstverständlich evident
verwesen to decompose, decay
scharfsinnig ingenious, discerning
der **Abt** abbot
beweisen (bewies bewiesen) to show, prove
ausreichen to suffice
der **Verschluss** seal, closure, plug
das **Gefäss** vessel, container
Einhalt gebieten (gebot geboten) to check, bring to a stop
d.h. (das heisst) that is
die **Abtötung** destruction
erkennen to recognize
Kapital schlagen aus (schlug geschlagen) to profit by
erfinden (erfand erfunden) to invent
die **Konserve** canned food, preserves
begründen to found, establish
der **Zweig** branch
der **Markstein** landmark, milestone

die **Hefe** yeast
das **Lebewesen** living organism
die **Sprossung** budding
vermehren to reproduce, multiply
die **Sicherheit** certainty
der **Erreger** causative agent
die **Gärung** fermentation
betrachten to consider
einleiten to initiate, begin
zuckerhaltig containing sugar
die **Flüssigkeit** liquid
vergären (vergor vergoren) to ferment
überhaupt at all
der **Saft** syrup, juice
die **Buttersäure** butyric acid
entstehen arise, originate
schädlich injurious
die **Erkenntnis** knowledge
der **Schwerpunkt** center of gravity, crucial point
nachweisen to prove, demonstrate
der **Milzbrand** anthrax
das **Rind (die Rinder)** cow, ox (cattle)
hervorrufen to cause
erzeugen to produce
die **Erforschung** investigation
die **Krankheit** illness
schaffen to make, create
die **Entwicklung** development
ermöglichen to enable, make possible
das **Erkennen** recognition
das **Färben** staining
die **Beobachtung** observation

Liebhabermikroskopiker und Autodidakt, in seinem Zahnbelag die ersten Bakterien. Mit einem mehr als einfachen Mikroskop hat er die Grundformen, Kokken, Stäbchen und Spirillen, als solche erkannt. Über die Rolle dieser „Biesterchen" in der Natur wusste er allerdings noch nichts. Für die Menschen der 5 damaligen Zeit war es einfach selbstverständlich, dass eine Leiche oder ein Stück Fleisch verwest. Erst ein scharfsinniger Fxperimentator, der italienische Abt Spallanzini, bewies 1769, dass dieser Verwesung durch längeres Kochen und einen ausreichenden Verschluss des Gefässes Einhalt geboten werden kann. 10 Die „Sterilisation", d.h. Keimabtötung, war in ihrer Bedeutung erkannt. Ein kluger Kopf, der Pariser Koch Appert, schlug aus diesem Experiment Kapital: er erfand 1809 die Konserve und begründete damit einen ganzen Industriezweig.

Ein Markstein in der Geschichte der Mikrobiologie wird das 15 Jahr 1837. Cagniard de la Tour erkennt, dass Hefe ein Lebewesen ist, und dass sie sich durch Sprossung vermehrt. Kurz zuvor hatte Schwann zeigen können, dass die Hefe mit Sicherheit als Erreger der alkoholischen Gärung betrachtet werden muss. Damit war eine Epoche der technischen Mikrobiologie 20 eingeleitet, die den Menschen grössten Nutzen gebracht. Ihr Pionier ist Louis Pasteur. Er sieht zwanzig Jahre später, dass zuckerhaltige Flüssigkeiten von Bakterien zu Milchsäure vergoren werden können und dass es eine Gärung ohne Lebewesen überhaupt nicht gibt. 1861 entdeckt er dann, dass aus Zucker- 25 säften auch Buttersäure durch Gärung entstehen kann und dass diese Bakterien keine Luft zum leben brauchen, ja, dass Luft für sie sogar schädlich ist. Für die damalige Zeit eine unglaubliche Erkenntnis.

In der darauffolgenden Zeit liegt der Schwerpunkt vor allem 30 auf der medizinischen Mikrobiologie. Robert Koch kann 1878 nachweisen, dass der Milzbrand der Schafe und Rinder durch Bakterien hervorgerufen wird und dass man ihn durch Infektion mit diesen Bakterien experimentell erzeugen kann. Neben der Erforschung mehrerer Infektionskrankheiten und deren Erregern 35 schafft er Methoden, die die Entwicklung der Mikrobiologie zur selbstständigen Wissenschaft ermöglichten: Besseres Erkennen durch Färben der Bakterien, Beobachtung der lebenden Mikroor-

in hängenden Tropfen   by hang-
ing drop (method)
die Züchtung   cultivation
der feste Nährboden   solid culture
medium
die Reinkultur   pure culture
feiern   to celebrate
entdecken   to discover
vorbeugen   to prevent
die Impfung   inoculation, vaccination
der Schreck(en)   terror, fear,
dread
ausbrechen (brach . . . aus ausge-
brochen)   to break out
entsprechend   corresponding
das Heilmittel   medicinal remedy
bekämpfen   to combat
die Chemikalien   chemicals
gelingen (gelang gelungen)   to
succeed
der Schlag   blow, stroke
die Geissel   scourge
der Erfolg   success
das Präparat   (factory) prepared
medicinal

erringen (errang errungen)
gain, achieve
entdeckungsreich   rich in discovery
die Furcht   fear, phobia
auslösen   to cause, induce, trigger
nützlich   useful
unentbehrlich   indispensable
die Anregung   stimulus
zerreiben   to grind
ausführen   to carry out
der Fall   case
der Einblick   insight
erschliessen (erschloss erschlossen)
to make accessible
der Stoffwechsel   metabolism
in grossen Zügen   roughly, "in
large strokes"
nacherleben   relive, re-experience
der Fuss / die Stapfe   foot / step,
print
die Untersuchung   examination
färben (*see* das Färben)
anlegen   to lay out, seed (a culture)
auf vielerlei Art   in many ways

ganismen in hängenden Tropfen, Züchtung auf festen Nähr-
böden, damit Möglichkeit der Reinkultur.

Jetzt konnte die medizinische Mikrobiologie viele Triumphe
feiern. Die Erreger vieler Infektionskrankheiten wurden entdeckt und kultiviert. Durch vorbeugende Impfungen verloren 5
die meisten ihren Schrecken. Eine bereits ausgebrochene
Krankheit aber kann nur durch entsprechende Heilmittel
bekämpft werden. Der Vater dieser Chemotherapie, wie man
die Bekämpfung von Krankheiten mit Chemikalien nennt, ist
Paul Ehrlich. Mit seinem Salvarsan, dem ersten Chemothera- 10
peutikum, gelang ihm ein grosser Schlag gegen eine Geissel der
Menschheit, die Syphilis. Seit Ehrlich hat die pharmazeutische
Industrie viele Erfolge mit ihren Präparaten im Kampf gegen
krankheitserregende Bakterien errungen. Genannt seien hier nur
die Sulfonamide und die Antibiotika. 15

Die damalige entdeckungsreiche Epoche der medizinischen
Mikrobiologie mag bei manchen Menschen eine gewisse Bak-
terienfurcht ausgelöst haben, bis man sah, dass andererseits die
meisten Bakterien sehr nützlich, viele sogar unentbehrlich für
uns sind. Wesentliche Anregung zur Erforschung der Lebens- 20
vorgänge der Mikroben, darüber hinaus aber aller Organismen,
gab ein Experiment Buchners: er konnte beweisen, dass man
alkoholische Gärung auch ohne lebende Hefezellen erzeugen
kann. Wenn man nämlich die Zellen zerreibt, werden bestimmte
Eiweisskörper—Enzyme—frei, die die chemischen Reaktionen 25
ausführen, in diesem Falle aus Zucker Alkohol bilden. Damit
war die Enzymchemie begründet, die uns tiefe Einblicke in den
Stoffwechsel der Mikroorganismen erschloss. Auch heute kennen
wir noch bei weitem nicht alle Stoffwechselprozesse und jeder
Tag bringt neue Erkenntnisse. 30

Wir werden hier die Geschichte der Mikrobiologie in grossen
Zügen nacherleben: wir werden in die Fussstapfen Leeuwen-
hoeks treten und das erste bakteriologische Untersuchungsobjekt,
den Zahnbelag, betrachten. Wir werden Bakterien färben.
Wir werden Reinkulturen anlegen, wie Koch es uns lehrte, und 35
schliesslich werden wir den Stoffwechsel der Mikroorganismen
kennenlernen, der uns heute auf vielerlei Art Nutzen bringt.

CELLAR MOULD

der Wein / die Bereitung wine / preparation, manufacture
das Verfahren process, procedure
der Stoffumsatz transformation of substance
der Vorgang process
in die Wege leiten to get under way, initiate
demgegenüber on the other hand
recht = ziemlich rather
die Herstellung production
das Gut (die Güter) property, estate, farm
der Eindruck impression
das Unternehmen enterprise
vorfinden to find, come upon
die Naturstimmung / die Stimmung emotion (or mood) reminiscent of nature / impression, atmosphere
die Behaglichkeit cosiness, comfort
Wert legen auf to place value on
angesehen distinguished, highly regarded
moosartig moss-like
die Bewachsung (over)growth
das Gewölbe vault, arch
das Tor / das Gitter gate, portal / grating, lattice
das Gestell rack, stand
stimmungsvoll emotional, impressive
der Anblick sight, view

bieten to offer
Abb. (die Abbildung) figure
die Tafel plate /
erfahren to learn, hear (of)
sammetartig velvet-like
der Belag coating, layer, film
herstammen to come (or derive) from
der Pilz fungus
sich ernähren to nourish (or maintain) oneself
die Forschung research
der Gehalt content
die Lage position
der Boden basis, substrate
das Eisen iron (Fe)
das Mauerwerk / die Mauer masonry wall(ing) / wall
ansiedeln to colonize
die Behauptung assertion, statement
hindurchwachsen to grow through
der Geschmack taste
entziehen to deprive
entsprechen to correspond
die Tatsache fact, evidence
der Bewohner inhabitant
sich erweisen to prove (or show) itself
nützlich useful
reinigen to purify
die Essigsäure acetic acid
unliebsam disagreeable
die Ausbreitung spreading

DER KELLERSCHIMMEL*

Die Weinbereitung ist ein chemisches Verfahren, bei dem
Stoffumsätze durch biologische Vorgänge bei niederen Tem-
peraturen und in relativ einfachen Apparaten in die Wege
geleitet werden. Demgegenüber sind die Arbeitsverfahren der
chemischen Fabriken recht kompliziert. Zufolge der apparativ ₅
einfachen Weinherstellung, die auf eine jahrhunderte lange Tra-
dition zurückblicken kann, hat man in den Weingütern auch
nicht den Eindruck eines technischen Unternehmens. Vielmehr
findet man hier eine Atmosphäre vor, die auf Naturstimmung
und Behaglichkeit Wert legt. Angesehene Weingüter sind sogar ₁₀
stolz auf ihre Weinkeller, die durch die moosartige Bewachsung
der Gewölbe, Torgitter, Lampen, Flaschen und Flaschengestelle
einen stimmungsvollen, ja romantischen Anblick bieten (Abb.
29 u. 30, Tafel VI). Es dürfte interessieren, etwas über diese
Bewachsung zu erfahren. Der sammetartige Belag stammt von ₁₅
einem Pilz her, dem Kellerschimmel (Claudosporium cellare).
Dieser ernährt sich, wie Forschungen der letzten Jahre gezeigt
haben, von dem Alkohol-, Ester- und Azetaldehydgehalt der
Kellerluft. Daher ist der Schimmelpilz in der Lage, sich auf
gänzlich fruchtlosen Böden wie Eisen, Glas und Mauerwerk ₂₀
anzusiedeln und rasch auszubreiten. Die Behauptung, dass der
Schimmelpilz durch die Korke der Weinflaschen hindurchwächst
und dem Wein die besten Geschmacksstoffe entzieht, entspricht
nicht den Tatsachen. Der Schimmelpilz ist vielmehr ein ganz
harmloser Bewohner des Weinkellers. Er erweist sich sogar ₂₅
nützlich, indem er die Kellerluft reinigt und den Essigsäurebak-
terien und anderen Pilzen, die im Weinkeller viel unliebsamer
sind, die Ausbreitungsmöglichkeit nimmt. Im Claudosporium

* From: Walter Kwasnik, *Chemische Streifzüge*. 1947. Pp. 174–175. By
kind permission of Staufen-Verlag, Paul Bercker, KG., Köln.

die **Nahrung** nourishment
ausschliesslich exclusively
entnehmen to take from, extract
flüssig liquid
vorliegen to be present, occur
vermögen to be able

ausmerzen to eliminate, expur-
gate
die **Bewunderung** admiration,
wonder
der **Besucher** visitor
ungestört undisturbed

cellare haben wir einen Pilz vor uns, der seine Nahrung ausschliesslich aus der Luft entnimmt. Flüssigen Alkohol in einer Konzentration, wie er im Wein vorliegt, vermag der Kellerschimmel nicht mehr zu assimilieren. Aus diesem Grunde hat man vielfach den Kellerschimmel nicht ausgemerzt, sondern **5** lässt ihn zur Freude und Bewunderung der Kellerbesucher ungestört wachsen.

THE CHEMISTRY OF WINE-MAKING
Raw Material

der Vorgang process, procedure
der Ausgangsstoff / der Ausgang
  starting material / point of departure
die Bereitung preparation
die Traube grape (bunch)
der Weinstock vine
die Beschaffenheit quality, condition
die Art kind
die Rebe (*see* **der Weinstock**)
der Boden soil, ground
die Witterung / das Verhältnis
  atmosphere, weather / condition
ausschlaggebend decisive
der Einfluss influence
allgemein general, common
die Blüte / die Zeit blossom(ing) /
  time
die Reife maturity
die Voraussetzung prerequisite
die Ernte harvest
das Kali potash
der Kalk chalk, lime, calcium
die Phosphorsäure phosphoric
  acid
das Eisen iron (Fe)
bestehen aus to consist of
die Beere berry
der Stiel stem, petiole, peduncle
je nach according to
unterscheiden to differentiate

die Schale skin, peel
der Saft juice, sap
der Kern pip, seed
wesentlich essential
der Bestandteil constituent, ingredient
der Geschmack taste
die Bedeutung significance
enthalten to contain
die Weinsäure tartaric acid
die Apfelsäure malic acid
bilden to form
sich befinden to be, be found, be
  present
der Farbstoff pigment
die Gerbsäure tannic acid
der Gehalt content
abnehmen to decrease
zunehmen to increase
mengenmässig quantitatively
der Pilz fungus
der Schimmel mould, mildew
die Edelfäule "noble rot," ash-
  gray mildew caused by *Botrytis
  cinerea*
massgebend decisively, influentially
beteiligt sein an to participate
  (*or* have a share) in
erwünschen to desire
die Herstellung manufacture,
  production

DIE CHEMISCHEN VORGÄNGE BEI DER WEINBEREITUNG*

Der Rohstoff

Ausgangsstoff zur Weinbereitung sind die Trauben des Weinstocks (Vitis vinifera). Auf die Beschaffenheit des Weins sind nicht nur die Art der Rebe, sondern auch der Boden, das Klima und die Witterungsverhältnisse von ausschlaggebendem Einfluss. Warmes sonniges Wetter im allgemeinen, trockene Witterung besonders zur Blütezeit und grosse Wärme bis zur Reife sind die Voraussetzung für eine gute Weinernte. Der Boden muss reich an Kali, Kalk, Phosphorsäure und Eisen sein. 5

Die Trauben bestehen aus Beeren und Stielen. An den Beeren, die je nach der Sorte grün, gelb, rot, blau und schwarzblau sein können, unterscheidet man Schale, Saft und Kern. 10 Der Saft der Beere ist der wesentliche Bestandteil der Reben für die Weinbereitung, wenn auch Schale, Kern und Stiel für den Geschmack des Weins ebenfalls von Bedeutung sind. Der Saft enthält Glukose (Traubenzucker) und Fruktose (Fruchtzucker), Weinsäure, Apfelsäure und geschmacksbildende Stoffe 15 („Bukettstoffe"). In den Schalen und Kernen befindet sich Gerbsäure; die Schalen enthalten ausserdem den Farbstoff der Beeren.

Ende August beginnen die anfänglich harten und sauren 20 Beeren weich und süss zu werden. Hierbei wird die Weinsäure gebunden, die Apfelsäure nimmt im Gehalt ab und der Zucker nimmt mengenmässig zu. An der Bildung der Bukettstoffe ist der Pilz des Traubenschimmels („Edelfäule") massgebend beteiligt. Er ist daher auf den Trauben sehr erwünscht. 25

Zur Herstellung von Weisswein werden die ganzen Trauben

* From: Walter Kwasnik, *Chemische Streifzüge.* 1947. Pp. 167–168. By kind permission of Staufen-Verlag, Paul Bercker, KG., Köln.

lösen to loosen

zerquetschen to crush, squash

maischen to mash

der Brei mash, pulp

bisweilen occasionally

übergehen to pass over (into)

die Kelterung (abpressen) pressing, treading

trüb turbid, opaque

die Flüssigkeit liquid

ablaufen to run off

unmittelbar directly, immediately

vergären (vergor vergoren) to ferment

zugegen sein to be present

die Zusammensetzung composition

der Handel commerce, trade

der Süssmost must, sweet wort

naturgemäss by nature, normally

schwanken / schwankend to fluctuate, vary / variable

die Säure acid

der Gerbstoff tannin

gering slight, small

das Natron sodium (Na)

das Oxyd oxide

die Menge quantity

die Tonerde alumina, argillaceous earth

das Mangan magnanese (Mn)

die Schwefelsäure sulfuric acid

die Kieselsäure silicic acid

das Chlor chlorine (Cl)

oder die von den Stielen gelösten Beeren zerquetscht, „gemaischt". Man lässt den Brei bisweilen mehrere Tage stehen, damit die Bukettstoffe, die in den Schalen enthalten sind, in den Saft übergehen können. Dann presst man den Saft ab (Kelterung), der als trübe, sehr süss schmeckende Flüssigkeit abläuft. 5 Bei der Herstellung von Rotwein wird der Saft nicht abgepresst, sondern die zerquetschten Trauben mit Schalen, Kernen und Stielen unmittelbar vergoren. Die Gerbsäure geht dann in die Flüssigkeit über, ebenso der Farbstoff der Schalen, weil sich dieser in den Säuren des Saftes leicht löst, wenn Alkohol zugegen 10 ist. Die Zusammensetzung des Presssaftes, der im Handel „Traubensüssmost" oder „Traubensaft" heisst, ist naturgemäss sehr schwankend. Er enthält 10 bis 30 g Zucker und 0,5 bis 1,4 g Säuren in 100 cm³. Der Gehalt an Gerbstoff ist bei Mosten für Weisswein sehr gering. Anorganische Bestandteile 15 (Aschen) sind meist 0,3 bis 0,5 in 100 cm³ enthalten. Unter diesen finden sich sehr viel Kali, wenig Natron, Kalk, Eisenoxyd, sehr geringe Mengen Tonerde und Mangan, reichliche Mengen Phosphorsäure sowie Schwefelsäure, etwas Kieselsäure und wenig Chlor. 20

ORIGIN AND PRODUCTION OF COLORS:
GENERAL CONSIDERATION

The Earth Colors

die Zeichnung drawing
bedecken to cover
vor Christi Geburt before (the birth of) Christ
bloss bare, naked, mere
der Fels(en) rock, cliff
ausführen to carry out, realize
darstellen to represent
der Umriss outline
der Ocker ochre
zeichnen to draw
ohne Zweifel without doubt
unersetzlich irreplaceable
die Malerei painting
die Herstellung production
das Schlämmen cleansing from mud
das Trocknen drying
das Mahlen grinding, pounding
bestehen to consist
nach und nach little by little, gradually
die Sorgfalt care(fulness)

die Auswahl choice, selection
die Entdeckung discovery
das Lager stratum, layer, bed
verwenden to use, employ
hervorgehen to result, arise
im Grunde basically
verwandeln to transform
das Eisen iron (Fe)
die Tatsache fact
der Fund "find," discovery
das Grab (*pl.* **Gräber**) tomb, grave
ergeben to show, prove, yield
das Altertum antiquity
der Farbstoff pigment
das Reiben grinding, rubbing
die Behandlung treatment
zur Folge haben to result in, have as consequence
rein pure
damals at that time
die Zubereitung preparation
entgegenbringen to take

ALLGEMEINES ÜBER HERKUNFT UND HERSTELLUNG VON FARBEN*

Die Erdfarben

In den Grotten bei Altamira (Nordspanien) und im Dordogne-Tal sind die Wände mit Zeichnungen bedeckt, die mehr als 10.000 Jahre vor Christi Geburt auf dem blossen Fels ausgeführt wurden und Bisons, Mammuts und Antilopen darstellen; ihre Umrisse wurden mit rotem Ocker gezeichnet. Diese Farbe ist 5 ohne Zweifel die älteste und ist auch heute noch ein fast unersetzlicher Stoff in der Technik der Malerei. Wenn auch die Herstellung, welche vor allem im Schlämmen, Trocknen und Mahlen der Farben besteht, nach und nach mit mehr Sorgfalt ausgeführt wurde; wenn auch die Auswahl der Stoffe infolge der 10 Entdeckung neuer Lager grösser geworden ist, so ist dennoch der heute gebrauchte Stoff derselbe, den man in ältester Zeit schon verwendete. Das Brennen der Ockerfarben, aus dem die schöne rotbraune Farbe hervorgeht, ist im Grunde nur eine Dehydratation und verwandelt das Eisenhydroxyd in rotes 15 Eisenoxyd; dies war eine schon den Römern bekannte Tatsache.

Ultramarin

Funde in ägyptischen Pharaonengräbern ergeben, dass das natürliche, aus dem Altertum bekannte Ultramarin Lapis Lazuli war. Um diesen als Farbstoff zu verwenden, wurde der Stein durch Reiben pulverisiert; doch seit dem 16. Jahrhundert 20 wurde die Behandlung komplizierter, was zur Folge hatte, dass der Farbton reiner wurde. Man brachte damals der Zubereitung von Ultramarin eine solche Sorgfalt entgegen—auch wegen der

* From: F. Kerdijk, *Künstlermaterialien und Maltechnik*. 1952. Pp. 23, 26–27, 54, 56. By kind permission of Königliche Fabriken Talens & Zoon N.V., Apeldoorn, Holland.

die **Seltenheit** scarcity, rarity
der **Rohstoff** raw material
das **Gewicht** weight
unzertrennlich inseparable
verbunden sein to be associated
with
der **Erfinder** inventor
belohnen to reward
stiften to establish (a prize fund),
donate
beobachten to observe
entsprechen to correspond
offenbar evident, obvious
die **Gewinnung** obtaining, extraction, production
entstehen to originate
künstlich artificial
plötzlich suddenly
der **Aufschwung** rise, upward
swing
sich herausstellen to prove, turn
out, become evident
umso ... als all the more ... since
im Vergleich zu in comparison
with
die **Anwendung** application,
use
die **Zusammensetzung** composition
erhalten to obtain
der **Ton** clay
der **Schwefel** sulfur (S)
der **Kohlenstoff** carbon (C)
bestehen aus to consist of

das **Natrium** sodium (Na)
die **Verbindung** compound
der **Ausgangsstoff** / der **Ausgang**
starting material / point of departure
die **Spur** trace
enthalten to contain
zudem moreover, besides
versuchen to attempt
die **Farbe** / die **Kraft** color /
intensity
der **Künstler** artist
die **Drüse** gland
der **Seepolyp** octopus
die **Flüssigkeit** liquid
abgeben to secrete
der **Verfolger** pursuer
entgehen to escape
das **Mittelalter** Middle Ages
berühmt famous
herstammen to be derived from
in erster Linie primarily
gewöhnlich common, usual
trocknen to dry (out)
Sepia nat. natural sepia
das **Aquarell** / die **Malerei** water-
color / painting
das **Öl** oil
die **Nachahmung** imitation
einer Nachahmung weichen to
yield to an imitation
das **Bein** / das **Schwarz** bone /
black

Seltenheit des Rohstoffes—, dass dieses Pigment sein Gewicht in Gold wert war.

Heutzutage wird das natürliche Produkt kaum mehr verwendet, seit Guimet, dessen Name unzertrennlich mit dem Ultramarin verbunden sein wird, im Jahre 1820 den Preis gewann, 5 der den Erfinder der praktischen industriellen Herstellung dieser blauen Farbe belohnen sollte. Dieser Preis war gestiftet worden, nachdem man beobachtet hatte, dass die inneren Wände der Sodaherstellungsöfen mit einem blauen Stoff bedeckt waren, welcher dem Ultramarin zu entsprechen schien, einem Stoff, der 10 offenbar bei der Gewinnung des Soda entstanden war.

Die künstliche Herstellung des Ultramarin nahm einen plötzlichen grossen Aufschwung. Es stellte sich heraus, dass dieses neu hergestellte Ultramarin umso billiger im Vergleich zum natürlichen Produkt verkauft werden konnte, als es in allen 15 möglichen Techniken seine Anwendung fand. Die chemische Zusammensetzung des natürlichen und des synthetisch erhaltenen Ultramarin ist identisch. Zur Herstellung von Ultramarin werden Ton, Quarz, Soda, Schwefel und Kohlenstoff gebraucht. Das fertige Produkt besteht aus Natriumsulfid und Aluminiumsi- 20 likat in sehr komplizierter chemischer Verbindung. Um ein intensiv blaues Produkt zu erhalten, müssen die Ausgangsstoffe sehr rein sein und vor allem keine Spur von Eisenverbindungen enthalten. Zudem muss man bei der Zubereitung der besseren Sorten versuchen, die grösste Feinheit zu erhalten, da die Farb- 25 kraft mit dieser Feinheit wächst. Für Künstlerfarben werden nur die feinsten Qualitäten verwendet.

Sepia

Die Drüsen der Seepolypen enthalten eine braune Flüssigkeit, die das Tier abgeben kann, um seinen Verfolgern zu entgehen. Dieses seit dem Mittelalter in der Malerei berühmte und ver- 30 wendete Produkt stammt in erster Linie vom kleinen, gewöhnlichen Seepolypen her (Sepia officinalis), der in der Adria gefangen wird und aus dessen getrockneten Drüsen das Pigment gewonnen wird. Sepia nat. wird noch in der Aquarellmalerei verwendet. In der Ölmalerei musste es einer Nachahmung 35 weichen, die aus Beinschwarz und einem andern Farbstoff zusammengesetzt ist.

der **Farbton** hue, shade
der **Krapp** / der **Lack** madder (dye) / enamel
der **Teer** tar
verstärken to intensify, augment
weiblich female
die **Schildlaus** shield louse
die **Heimat** origin, habitat
die **Art** type, kind
die **Eroberung** conquest
der **Ursprung** origin
einnehmen to occupy

die **Stelle** place, position
das **Haustier** domestic animal
das **Brüten** hatching
sammeln to collect, gather
die **Hitze** heat
töten to kill
die **Menge** amount
die **Schwefelsäure** sulfuric acid
einweichen to soak, steep
die **Lösung** solution
behandeln to treat
die **Fällung** precipitation

Unter dem Namen Sepia koloriert versteht man jene, deren Farbton, sei es durch Krapplack, sei es durch Teerpigmente, verstärkt wurde.

Karmin

Karmin, auch Cochenille genannt, wird aus weiblichen Schildläusen hergestellt, deren Heimat Mexiko ist und die auf gewissen 5 Kaktusarten wohnen. Dieses Insekt wurde in Europa nach der Eroberung Mexikos im Jahre 1523 bekannt; in seinem Ursprungsland und später auf Java, in Algerien und an anderen Orten nimmt dieses Insekt die Stelle eines Haustiers ein. Die Insekten werden vor dem Brüten gesammelt, durch Hitze 10 getötet, getrocknet, gemahlen und in Wasser, das eine schwache Menge Schwefelsäure enthält, eingeweicht. Wenn man diese Lösung mit Aluminiumhydrat behandelt, erhält man als Fällung den Farbstoff. Wenn man statt Hydrat Aluminiumacetat verwendet, erhält man das Pigment, das unter dem Namen Karmin- 15 lack bekannt ist.

155

40

CERAMICS

der Ton   clay
gehören zu   to belong to
die Weberei   weaving
das Gewerbe   trade, craft, profession
die Formgebung   fashioning, modeling
hauptsächlich   principally, chiefly
benötigen   to require
das Werkzeug   tool
der Töpfer / die Scheibe   potter / wheel
verwenden   to use, utilize
der Aufwand   expenditure
allerdings   to be sure
nötig   necessary
die Härte   hardness
erhalten   to obtain
die Anschaffung   procuring, obtaining
der Fachmann   expert, professional
sich lohnen   to be worth-while
der Betrieb   workshop, factory, operation
d.h. (das heisst)   that is

der Gebrauch   use, employment
fertigmachen   to make ready
die Töpferei   pottery (or ceramic) workshop
das Majolika / das Werk   majolica / works, factory
notwendig   necessary
schildern   to describe, depict
sich abschrecken   to be disheartened, be frightened off
nötigenfalls   if need be
das Leder   leather
das Gewebe   fabric
unzählig   countless, innumerable
graben (grub gegraben)   to dig
zur Verfügung stehen   to be at the disposal of
die Grundlage   basis, foundation
nichts Geringeres   nothing less
schöpferisch   creative
das Gebiet   field, area
die Ware   ware, article (of commerce)
feucht   moist

40

KERAMISCHE ARBEITEN*

Keramik, die Technik des gebrannten Tones, gehört neben der
Weberei zu den ältesten Gewerben. Das zur Formgebung des
Tones hauptsächlich benötigte Werkzeug, die Töpferscheibe,
wird fast bei allen Völkern und schon in sehr früher Zeit verwendet. Ein Arbeiten mit Ton ist ohne grossen Aufwand an 5
Handwerkzeug möglich; allerdings muss der Ton, um die
nötige Härte zu erhalten, gebrannt werden, und dazu benötigt
man einen Ofen, dessen Anschaffung sich für einen Nichtfach-
mann nicht lohnen würde. Aber fast an jedem Ort findet sich
ein keramischer Betrieb, d.h. ein Betrieb, in dem Ton durch 10
Brennen zum Gebrauch fertiggemacht wird. Das kann eine
Töpferei, ein Majolikawerk oder eine Ofenfabrik sein. Die
wenigen für das Arbeiten in Ton notwendigen Werkzeuge
werden im folgenden genau geschildert. Durch kleine Anschaf-
fungskosten lasse man sich nicht abschrecken, das Formen und 15
Arbeiten mit Ton ist nötigenfalls auch mit der Hand ganz
allein möglich.

Metall, Holz, Leder, Papier, Gewebe: das sind Materialien,
die durch unzählige Hände und Maschinen hindurchgingen,
ehe sie als formbarer Stoff vor uns liegen. Bei Ton ist das etwas 20
ganz anderes. Aus der Erde gegraben, steht er zu unserer Verfügung. Grundlage unserer Arbeiten in Ton ist nichts Geringeres als die vier Elemente selbst: Erde, Wasser, Luft und
Feuer. Wir können nicht schöpferischer sein!

Zwei Gebiete der Keramik, d.h. der Technik der gebrannten 25
Erde, stehen uns zur Verfügung: das der Töpferware und das
der Majolika oder Fayence.

Die Töpferware, aus rotbrennendem Ton geformt, wird in
feuchtem Zustande begossen oder bemalt mit gefärbten Tonen,

* From: H. M. Jaschinski, *Keramische Arbeiten*. Vierte Auflage. 1956.
Pp. 5–6. By kind permission of Otto Maier Verlag, Ravensburg.

der Zustand condition
begiessen (begoss begossen) to pour over, cover with an engobe
bemalen to paint (over)
durchsichtig transparent
das Blei / die Glasur lead (Pb) / glaze
glasieren to glaze
der Anhang appendix, supplement
durchaus thoroughly
verschieden different
undurchsichtig opaque
weissdeckende Zinnglasur / das Zinn white opaque tin glaze / tin (Sn)
antrocknen to begin to dry
die Oberfläche surface
der Pinsel brush

sodann afterwards, then
stark glänzend highly lustrous
daruntersitzen to underlie
darübersitzen to overlie
sämtlich all, complete
das Rohmaterial raw material
das Gerät tool, implement, device
das Spezialgeschäft special (professional) supply house
zeichnen to draw, sketch
die Ausführung statement, explanation, description
der Neuling novice
das Wesen essence, nature
begreifen to grasp
brauchbar useful
der Gegenstand object, article
herstellen to produce

in feuchtem Zustande mit einer durchsichtigen Bleiglasur glasiert und nach dem Trocknen einmal gebrannt (1). (Siehe Anhang Seite 68.) [*Refers to technical note in appendix of original work*]
Durchaus verschieden davon ist die Majolika- oder Fayencetechnik. Hier wird der ebenfalls rot- oder gelbbrennende Ton 5 nach der Formgebung getrocknet und gebrannt. Das vorgebrannte Stück wird mit einer undurchsichtigen, weissdeckenden Zinnglasur begossen, deren angetrocknete Oberfläche mit dem Pinsel bemalt werden kann. Sodann wird das Ganze zum zweiten Male gebrannt. 10

Das Typische der Töpferware ist demnach die stark glänzende, durchsichtige Bleiglasur mit daruntersitzender Bemalung, das Typische der Majolika- oder Fayencetechnik ist die undurchsichtige, weissdeckende Zinnglasur mit darübersitzender Pinselbemalung. 15

Bemerkt sei noch, dass sämtliche Rohmaterialien und Handwerksgeräte in den grossen Spezialgeschäften für Mal- und Zeichenutensilien der grösseren Städte zu haben sind.

Nach genauem Studium der folgenden Ausführungen wird es auch dem Neuling möglich sein, das Wesen dieser Techniken 20 zu begreifen und brauchbare Gegenstände darin herzustellen.

41

DEVELOPMENT OF THE MAJOLICA TECHNIQUE

das Gefäss vessel, receptacle
der Ton clay
die Glasur glaze
das Blei lead (Pb)
das Zinn tin (Sn)
die Erde earth
tauchen to dip
berühmt famous
sich auszeichnen to distinguish
  oneself
der Neffe nephew
die Art kind, type
die Blütezeit golden age; flowering (*time*)
die Herstellung production
die Werkstatt workshop, factory
die Fliese tile, flagstone
anwenden to utilize, use
die Einfuhr importing
der Osten East
die Erfindung invention
verdrängen to displace, push back

verschieden various
betreiben (betrieb betrieben)
  to carry on, pursue (an operation)
aufnehmen (nahm . . . auf aufgenommen) to take up, begin
lebendig animated, lively
farbenfreudig colorful, "color-joyous"
erwähnen to mention
weissdeckend white opaquing
bestehen aus to consist of
sogenannt so-called
d.h. (das heisst) that is
das Blei / das Glas lead (Pb) / glass
das Gemisch mixture
wasserlöslich water soluble
das Salz salt
das Kali potash
vorschmelzen (schmolz . . . vor vorgeschmolzen) to fuse, melt

ENTSTEHUNG DER MAJOLIKATECHNIK*

Die Gefässe wurden aus rotem Ton geformt und gebrannt, in
eine Glasur aus Blei- und Zinnoxyd mit einer sehr weissen Erde
aus Siena getaucht und zum zweiten Male gebrannt. Dies war
die Basis der später so berühmt gewordenen Majolikatechnik.
Im 15. Jahrhundert zeichneten sich Lucca della Robbia und 5
sein Neffe Andrea della Robbia durch besonders gute Arbeiten
in dieser Art aus. Am meisten bekannt sind von Lucca della
Robbia die Reliefs weiss auf warmblauem Grunde. Die Zeit der
Renaissance war die Blütezeit der Majolikaherstellung.

MAJOLIKA UND FAYENCE: DIE GLEICHE TECHNIK

Bald hatte jede Stadt Italiens ihre eigenen Werkstätten für 10
Majolika, nach Faënza wurde diese Technik später auch Fayence
genannt. Von Italien kam sie nach Deutschland, Frankreich
und den Niederlanden, wo sie, auf Fliesen angewandt, besonders
durch Delft bekannt wurde. Durch die wachsende Einfuhr von
Porzellan aus dem Osten und im 18. Jahrhundert durch die 15
Erfindung der Porzellanherstellung in Europa selbst wurde die
Majolika- oder Fayencetechnik verdrängt, um in der neuesten
Zeit wieder von verschiedenen handwerklich betriebenen Werkstätten aufgenommen zu werden, ihres lebendigen, farbenfreudi-
gen Charakters wegen.   20
Wie oben erwähnt, ist die Majolikaglasur eine durch Zinn
weissdeckend gemachte Bleiglasur.
Sie besteht aus einer sogenannten „Fritte", d.h. einem Blei-
glas, das aus einem Gemisch von Zinn- und Bleioxyd, dem sogenannten „Äscher", und von wasserlöslichen Alkalisalzen (Pot- 25
tasche oder Kalisalpeter) vorgeschmolzen wird. Nach dem

* From: H. M. Jaschinski, *Keramische Arbeiten*. Vierte Auflage. 1956.
Pp. 12–13. By kind permission of Otto Maier Verlag, Ravensburg.

das Feinmahlen fine grinding, milling
erhalten to have, obtain
die Töpferglasur pottery glaze
aufbringen to apply
gesundheitsschädliche Dämpfe noxious vapors, vapors injurious to health
entstehen to arise, result
ausserdem besides
erfordern to require
abraten to dissuade (from), warn (against)
gleichmässig uniform, consistent
liefern to supply

die Abwandlung / die Möglichkeit modification / possibility
in bezug auf as regards, as to
der Glanz luster
die Oberfläche surface
bieten to offer
zulassen to permit, allow
reizvoll charming
anfertigen to manufacture, get (*or* mix) up
gebrauchsfertig ready-to-use
der Anhang appendix
die Firma (business) firm
beziehen to procure, get, buy

Feinmahlen dieser Fritte erhalten wir dann die fertige Majolikaglasur, die ebenso wie eine Töpferglasur auf das vorgebrannte
Stück aufgebracht wird.

Da sowohl bei der Herstellung des „Äschers" aus Blei und
Zinn als auch beim Fritten der Zinn-Blei-Glasur gesundheits- 5
schädliche Dämpfe entstehen und da ausserdem das Fritten einen
besonderen Schmelzofen erfordert, sei von der Selbstherstellung
der Majolikaglasur abgeraten.

Majolikaglasuren werden von der Industrie in gleichmässiger
Qualität und bis zur richtigen Feinheit vorgemahlen geliefert. 10
Da der Charakter der Majolikaglasur nicht die Abwandlungs-
möglichkeiten in bezug auf Glanz und Oberflächenstruktur,
welche die Töpferglasur bietet, zulässt, ist es auch aus diesem
Grunde weniger reizvoll, die Majolikaglasur selbst anzufertigen.
Wir können sie gebrauchsfertig von den im Anhang Seite 70 15
unter (5) genannten Firmen beziehen. [*Refers to original text*]

THE MULTI-POLAR RAPID CLAMPING DEVICE

lösbar detachable, separable
das Kabel cable
bedeuten to mean
die Leitung cable, circuit, wire
der Strom / die Stärke current / intensity
übertragen to transmit
ausserdem besides
die Vielzahl multitude
kuppeln to couple, join
lösen to solve
der Kontakt / der Druck contact / pressure
das Festverklemmen clamping
ausreichend sufficient
herstellen to produce
die Hilfsvorrichtung / die Vorrichtung auxiliary device / device
das Auftreten appearance, occurrence
das Zusammenfügen joining, combining
die Hälfte half
entfallen to be omitted
unbedingt absolutely
sicher safe, secure
die Stelle place, spot
gedacht für meant for
die Ausführung design, model
je each
in diesem Rahmen in this regard, in this respect
der Kunde customer
entsprechen to meet, conform
übergeordnet priority
die Forderung requirement
sich ergeben to result, follow

zuverlässig reliable
der Kontakt / die Gabe contact / the making of
die Überlastbarkeit overload capacity
das Entkuppeln uncoupling
der Berührungsschutz (die Berührung / der Schutz) insulation (contact, touching / protection)
die Steckdose socket
der Stecker plug
die Sicherheit safety
völlig complete
die Abdichtung seal, sealing
der Aufbau construction
starr rigid
die Leiste strip
ausgeprägt raised, pronounced
die Fläche surface
entwickeln to produce, develop
unabhängig independent
die Zahl number
der Kniehebel toggle lever
aufbringen (brachte . . . auf aufgebracht) to bring forth, produce
die Sicherung fuse, safety (device)
gleichzeitig simultaneously
die Tellerfeder cup spring
vorspannen to preload
die Wirkung (zur Wirkung bringen) effect (to activate)
ungewöhnlich uncommon
erreichen to attain, obtain
bedeutend significantly
vergrössern to enlarge

42

DIE VIELPOLSCHNELLKLEMMVERBINDUNG*

Die elektrische, leicht und schnell lösbare Verbindung von Kabeln hat bisher ein Problem bedeutet, wenn in den Leitungen höhere Stromstärken zu übertragen und ausserdem mehrere oder sogar eine Vielzahl Leitungen zu kuppeln waren. Das Problem wurde dadurch gelöst, dass der Kontaktdruck für 5 grosse Stromstärken durch Festverklemmen ausreichend hergestellt wurde, und dass ausserdem besondere Hilfsvorrichtungen bei Auftreten grosser Kräfte zum Zusammenfügen der Kupplungshälften entfallen konnten. Durch die Vielpolschnellklemmverbindung wird ein unbedingt sicherer Kontakt an den 10 Kontaktstellen garantiert. Sie ist für Stromstärken über 10 Ampere gedacht und wird vorerst als normale Ausführung mit 20 Polen von je 60 Ampere hergestellt. In diesem Rahmen kann jedoch jedem Wunsche des Kunden entsprochen werden.

Als übergeordnete Forderungen ergeben sich: zuverlässige 15 Kontaktgabe, hohe Überlastbarkeit, einfache Installation, leichtes und schnelles Kuppeln oder Entkuppeln, Berührungsschutz bei Steckdose und Stecker, elektrische und mechanische Sicherheiten, völlige Abdichtung, einfacher und klarer Aufbau.

Bei der Vielpolschnellklemmverbindung wurden starre Kon- 20 taktleisten mit ausgeprägtem und überdimensioniertem Flächenkontakt entwickelt. Der Kontaktdruck wird für alle Kontakte unabhängig von der Polzahl von einem Kniehebelsystem aufgebracht, das zur Kontaktdrucksicherung gleichzeitig eine Tellerfeder vorspannt. Der Kontaktdruck wird erst dann zur 25 Wirkung gebracht, wenn die Kupplungshälften zusammengesteckt sind. Damit wurde nicht nur ein ungewöhnlich leichtes Kuppeln oder Entkuppeln erreicht, sondern der Kontaktdruck konnte bedeutend vergrössert werden.

* From: *Deutsche Konstruktionen*, Hauptausgabe 1961, 9. Jahrgang. By kind permission of Deutsche Konstruktionen, Verlag Stünings & Co., Hamburg.

43
AIR FORCE: THE FIAT G 91
Technical-Flight Characteristics
Tactical Possibilities

die Ausführung detail, exposition, statement

wiedergeben to reproduce, present

die Erfahrung experience

der Verfasser author

im Zuge in the course of

die Erprobung test, trial

der Verband unit, element

sammeln to collect

die Ergänzung supplement

hinsichtlich regarding

sonstig other

die Folgerung conclusion

das Flugzeug aircraft

der Frontverband combat element, (ground) support force

einführen to introduce

die Entstehung creation, inception

die Überlegung consideration

der Pate (Pate stehen) sponsor (to sponsor)

die Luftkriegsführung / die Führung air war / waging, carrying out

frontnahe close to front(line)

der Gegner opponent, enemy

das Eingreifen intervention, engagement

die Luftstreitkraft air force

die Erde / der Kampf ground / combat

das Gefecht / das Feld combat, engagement / area, field

das Muster type, model, design

erforderlich necessary, requisite

die Eignung capability, suitability

der Tiefstflug / der Flug lowest (-level) flight / flight

wendig maneuverable

der Angriff attack

der Jäger fighter (*or* pursuit) plane

entziehen to withdraw

kräftig sturdily

anhalten to continue, last

die Belastung load, stress

der Flugbetrieb airport activity, flying operations

der Feldflugplatz advanced airfield

gering slight

der Aufwand expenditure

einsatzfähig available for commitment (*or* employment)

geeignet suitable

völlig completely

regelmässig regularly

gelegentlich occasionally

behelfsmässig improvised, emergency, auxiliary

vorbereiten to prepare

die Zielsetzung / das Ziel designation of objective / goal, aim

ausschreiben to announce, invite (to complete)

der Wettbewerb competition

eingehend thorough

vergleichen to compare

die Prüfung trial, test

anbieten (bot . . . an angeboten) to offer, volunteer

der Bau construction

die Firma (business) firm

die Siegerin victor (*feminine*)

hervorgehen (ging . . . hervor hervorgegangen) to result, come out as

massgebend standard-setting

der Gesichtspunkt point of view

LUFTWAFFE: DIE FIAT G 91 *

Technisch-fliegerische Charakteristika
Taktische Möglichkeiten

Die folgenden Ausführungen geben die Erfahrungen wieder, die der Verfasser im Zuge einer längeren Erprobung der Fiat G91 in einem Verband gesammelt hat. Sie werden sicher, wie das immer schon war, noch manche Ergänzung—auch hinsichtlich der taktischen und sonstigen Folgerungen—finden, wenn erst 5 einmal dieses neue „Lightweight Strike/Reconaissance"-Flugzeug in den Frontverbänden eingeführt sein wird.

Bei der Entstehung der Fiat G 91 hat die Überlegung Pate gestanden, dass für die Aufgaben der taktischen Luftkriegsführung im frontnahen Hinterland des Gegners und auch zum 10 Eingreifen von Luftstreitkräften in den Erdkampf auf dem Gefechtsfeld selbst ein Flugzeugmuster erforderlich ist, das bei guter Eignung für den Tiefstflug schnell und wendig genug ist, um sich auch Angriffen modernster Jäger entziehen zu können; dieses Flugzeug sollte einfach und kräftig gebaut sein, um selbst 15 bei anhaltender Belastung durch intensiven Flugbetrieb von Feldflugplätzen aus mit geringem Aufwand an Menschenkraft, Material und Zeit einsatzfähig gehalten werden zu können. Es musste ferner flugtechnisch geeignet sein, völlig regelmässig (und nicht nur gelegentlich) von behelfsmässig vorbereiteten Flug- 20 plätzen aus operieren zu können.

Aus einem mit dieser Zielsetzung von der NATO vor einigen Jahren ausgeschriebenen Wettbewerb ist die Fiat G 91 nach eingehender vergleichender Prüfung und Erprobung der angebotenen Baumuster mehrerer bekannter Firmen als Siegerin 25 hervorgegangen. Die in der Erprobung massgebenden Ge-

---

* From: Truppenpraxis 4/1960. P. 297. By kind permission of Wehr und Wissen Verlagsgesellschaft mbH., Darmstadt.

dienen to serve
vorliegend present
die Abhandlung treatise
der Anhalt support, basis
die Spannweite wing span
m (das, der Meter) meter (*lineal measure*) 39.37 U.S. inches
betragen to amount to
das höchstzulässige Startgewicht highest permissible take-off load
einschliesslich including
der Flugzeugführer pilot
der Kraftstoff fuel
die Beladung load
kg (das Kilogramm, das Kilo) kilogram (*weight*) 2.2 pounds
wesentlich essentially
verwenden to use, employ
zum Vergleich in comparison (with)
die Daten (*pl.*) data
je nach depending upon
das Triebwerk power plant
der Standschub static thrust, hovering propulsion
wiegen to weigh
ursprünglich originally
das Verbrauchstriebwerk expendable power plant

der Einbau installation, building in
der Flugkörper aircraft
entwickeln to develop
geringfügig trivial, minor
die Änderung modification
äusserst extremely
der Antrieb / das Aggregat power / unit
sich erweisen als to prove itself to be
die Leistungsfähigkeit capacity, efficiency
die Störung / die Anfälligkeit breakdown, malfunction / susceptibility
verhältnismässig relatively
auftreten to occur
beheben (behob behoben) to overcome, remove
vollständig complete
der Wechsel change
der Flug / die Klarmeldung flight, take-off / clearance
anstrengen to tax, strain
herrichten to prepare
die Zuverlässigkeit reliability
im Geringsten in the least
beeinflussen to influence

sichtspunkte der technischen, fliegerischen und taktischen Eignung dienen der vorliegenden Abhandlung als Anhalt.

Technische Charakteristika

Die Fiat G 91 hat eine Länge von 10,43 m und eine Spannweite von 8,56 m, die Höhe beträgt 4,0 m; das höchstzulässige Startgewicht einschliesslich Flugzeugführer, Kraftstoff, Munition 5 und Beladung beträgt 5190 kg. Das Flugzeug ist damit also wesentlich kleiner und leichter als bisher verwendete Typen (zum Vergleich die Daten der F 84 F: Länge 13,5 m; Spannweite 10,25 m; Höhe 4,6 m; höchstzulässiges Startgewicht je nach Beladung 12 bis 16 t). 10

Das Triebwerk der G 91 ist eine Bristol-Orpheus MK-801 Turbine mit einem Standschub von 2200 kp; sie wiegt 440 kg. Ursprünglich als Verbrauchstriebwerk zum Einbau in Flugkörper entwickelt, hat sich diese Turbine nach einigen geringfügigen Änderungen als ein äusserst robustes und dennoch sehr 15 einfaches Antriebsaggregat für Flugzeuge erwiesen, das grosse Leistungsfähigkeit mit geringer Störungsanfälligkeit verbindet. Die verhältnismässig selten auftretenden Störungen können sehr schnell behoben werden, ein vollständiger Wechsel des Triebwerkes dauert bis zur Flugklarmeldung des Flugzeugs weniger 20 als eine Stunde. Auch längerer und angestrengter Flugbetrieb von behelfsmässig hergerichteten Flugplätzen aus hat weder die Leistungsfähigkeit noch die Zuverlässigkeit der Turbine im Geringsten beeinflusst.

44

MORTALITY STATISTICS

der **Tod** / die **Ursache** death / cause

die **Atmung** / das **Organ** respiration / organ

die **Folgeerscheinung** sequela

die **Art** kind, type

der (das) **Scharlach** scarlet fever

verursachen to cause

der **Rachen** / die **Krankheit** throat, upper respiratory / malady

der **Keuchhusten** whooping cough

die **übertragbare Kinderlähmung** infectious infantile paralysis

die **Masern** measles

sonstig other

die **Erkrankung** illness

bösartig malignant

die **Neubildung** neoplasm

gutartig benign

einschliesslich including

nicht näher bezeichnet not defined more precisely

die **Gefässschädigung** (das **Gefäss** / die **Schädigung**) vascular injury (vessel / injury)

die **Hirnhautentzündung** / die **Entzündung** meningitis / inflammation

fieberhaft febrile

die **Herzerkrankung** coronary disease

der **Blutdruck** / die **Erhöhung** blood pressure / rise

mit (ohne) Beteiligung with (without) involvement

die **Lungenentzündung** pneumonia

From: *Österreichisches Jahrbuch 1959*. Wien 1960. Druck und Verlag der Österr. Staatsdruckerei. Pp. 626–627.

TODESURSACHEN
GESTORBENE 1953 UND 1958 NACH TODESURSACHEN

Todesursachen	Gestorbene		
	1953	1958	
		absolut	auf 100.000 Lebende
Tuberkulose der Atmungsorgane	2.054	1.570	22
Andere Formen der Tuberkulose	319	190	3
Syphilis und Folgeerscheinungen	290	199	3
Typhus..........................	32	13	0
Alle Arten von Dysenterie	2	1	0
Scharlach und durch·Streptokokken verursachte Rachenkrankheiten	18	9	0
Diphtherie........................	54	14	0
Keuchhusten	60	45	1
Meningokokken-Infektionen	11	5	0
Akute übertragbare Kinderlähmung..	56	113	2
Masern	31	33	1
Malaria..........................	4	—	—
Alle sonstigen infektiösen oder parasitären Erkrankungen	271	210	3
Bösartige Neubildungen einschließlich der Neubildungen der lymphatischen und blutbildenden Organe	15.612	17.471	249
Gutartige und nicht näher bezeichnete Neubildungen....................	691	461	7
Diabetes mellitus	480	520	7
Anämien	192	180	3
Gefäßschädigungen des Zentralnervensystems	10.762	11.950	170
Hirnhautentzündung nicht durch Meningokokken verursacht	243	211	3
Fieberhafte rheumatische Erkrankungen....................	21	63	1
Chronische rheumatische Herzerkrankungen	1.095	1.362	19
Arteriosklerotische und degenerative Herzerkrankungen	13.011	15.751	224
Sonstige Herzerkrankungen	3.942	3.817	54
Blutdruckerhöhung mit Beteiligung des Herzens	633	1.220	17
Blutdruckerhöhung ohne Beteiligung des Herzens	418	418	6
Grippe	1.191	564	8
Lungenentzündung	3.101	3.412	49
Bronchitis	665	599	9

das **Geschwür** ulcer
der **Magen** stomach
der **Zwölffingerdarm** duodenum
die **Blinddarmentzündung**
appendicitis
der **Darm** / der **Verschluss** intestinal / occlusion
der **Dünndarm** small intestine
der **Dickdarm** large intestine
der **Durchfall** diarrhea
die **Schwangerschaft** pregnancy
die **Geburt** birth, delivery, labor
das **Wochenbett** puerperium, childbed
die **angeborene Missbildung**
congenital anomaly
die **Verletzung** injury

die **frühe Kindheit und Unreife**
early childhood and adolescence
ohne **nähere Angaben** without further details, no particulars
die **Altersschwäche** senility
lie **Geistesstörung** (der **Geist** / die **Störung**) mental disorder, derangement (mind / disturbance)
mangelhaft inadequately, unsatisfactorily
das **Kraftfahrzeug** / der **Unfall**
motor vehicle / accident
der **Selbstmord** / der **Mord** suicide / murder
die **Selbstverstümmelung** self-mutilation
das **Verzeichnis** index, listing, catalogue

Todesursachen	Gestorbene		
	1953	1958	
		absolut	auf 100.000 Lebende
Geschwüre des Magens und des Zwölffingerdarms	556	511	7
Blinddarmentzündung...............	356	297	4
Darmverschluß und Hernien	862	930	13
Gastritis, Zwölffingerdarm-, Dünndarm- und Dickdarmentzündung mit Ausnahme des Durchfalls bei Neugeborenen	578	558	8
Leberzirrhose	917	1.322	19
Nephritis und Nephrose.............	657	620	9
Prostata-Hyperplasie...............	565	457	7
Komplikationen der Schwangerschaft, der Geburt und des Wochenbetts...	135	99	1
Angeborene Mißbildungen	469	602	9
Geburtsverletzungen, postnatale Asphyxie und Atelektase..........	668	639	9
Infektionen der Neugeborenen	254	269	4
Sonstige Erkrankungen der frühen Kindheit und Unreife ohne nähere Angaben	2.073	1.782	25
Altersschwäche ohne Geistesstörung, Krankheitszeichen (Symptome) und mangelhaft bezeichnete Todesursachen	6.440	1.963	28
Alle sonstigen Erkrankungen	8.221	8.919	127
Kraftfahrzeugunfälle	412	1.857	27
Alle sonstigen Unfälle	3.264	3.050	43
Selbstmord und Selbstverstümmelung	1.628	1.639	23
Mord.............................	85	65	1
Insgesamt...	83.399	85.980	1.225

THE INSTITUTES OF THE *MAX-PLANCK-GESELLSCHAFT*
(as of December 1960)

die **Gesellschaft** association, company, society

z.F.d.W. (**zur Förderung der Wissenschaft**) for the Advancement of Science

der **eingetragene Verein** (**e.V.**) incorporated (Inc.)

die **Nachfolge** successor

gründen to found, establish

der **Versuch** / die **Anstalt** experiment / institute

das **Eisen** / die **Forschung** iron (Fe) / research

das **Eiweiss** protein; albumen; egg-white

das **Leder** leather

vergleichende Erbbiologie comparative genetics

die **Ernährung** nutrition

das **Grenzgebiet** (die **Grenze** / das **Gebiet**) peripheral area (border / area)

das **Hirn** brain

die **Anstalt** institute

DIE INSTITUTE DER MAX-PLANCK-GESELLSCHAFT*
(Nach dem Stand von Dezember 1960)

(Die *Max-Planck-Gesellschaft zur Förderung der Wissenschaften* ist ein eingetragener Verein und wurde 1948 als Nachfolgeorganisation der Kaiser-Wilhelm-Gesellschaft [1911] gegründet). †

1. Aerodynamische Versuchsanstalt Göttingen e.V.
2. Max-Planck-Institut für Aeronomie   5
3. Max-Planck-Institut für Arbeitsphysiologie
4. Bibliotheca Hertziana
5. Max-Planck-Institut für Biochemie
6. Max-Planck-Institut für Biologie
7. Max-Planck-Institut für Biophysik   10
8. Max-Planck-Institut für Chemie (Otto-Hahn-Institut)
9. Max-Planck-Institut für physikalische Chemie
10. Max-Planck-Institut für Eisenforschung
11. Max-Planck-Institut für Eiweiss- und Lederforschung
12. Max-Planck-Institut für vergleichende Erbbiologie und Erb-   15
    pathologie
13. Max-Planck-Institut für Ernährungsphysiologie
14. Max-Planck-Institut für Geschichte
15. Gmelin-Institut für anorganische Chemie und Grenzgebiete
    in der Max-Planck-Gesellschaft z.F.d.W.   20
16. Fritz-Haber-Institut der Max-Planck-Gesellschaft z.F.d.W.
17. Max-Planck-Institut für Hirnforschung
18. Hydrobiologische Anstalt der Max-Planck-Gesellschaft
    z.F.d.W.
19. William G. Kerckhoff-Herzforschungsinstitut der Max-   25
    Planck-Gesellschaft z.F.d.W.

* By kind permission of Max-Planck-Gesellschaft (Präsidialbüro, Munich)
† From: von Merkatz, Metzner, Ziegfeld, *Deutschland Taschenbuch.*
1954. P. 181. By kind permission of Alfred Metzner Verlag, Frankfurt am Main.

die **Kernphysik** nuclear
physics
die **Kohle** coal
die **Kulturpflanze** / die **Züchtung** cultivated plant / cultivation
ausländisch foreign

das **Privatrecht** / das **Recht** civil
law / system of law
öffentliches Recht public law
das **Völkerrecht** international law
die **Strömung** current
die **Tierzucht** animal breeding
das **Verhalten** behavior

46

WISSENSCHAFTLICHE ZEITSCHRIFTEN*

Acta Neurochirurgica (Wien)
Ärztliche Forschung (München)
Ärztliche Wochenschrift (Berlin)
Aktuelle Probleme der Dermatologie (Basel)
Albrecht von Graefe's Archiv für Ophthalmologie (Berlin) 5
Allergie und Asthma (Leipzig)
Anatomischer Anzeiger (Jena)
Angewandte Chemie (Heidelberg)
Annalen der Physik (Berlin)
Archiv für die Gesamte Virusforschung (Wien) 10
Archiv für Geschwulstforschung (Dresden)
Archiv für Gewerbepathologie und Gewerbehygiene (Berlin)
Archiv für Gynäkologie (München)
Archiv für Hygiene und Bakteriologie (München)
Archiv für Kinderheilkunde (Stuttgart) 15
Archiv für Klinische und Experimentelle Dermatologie (Berlin)
Archiv für Mikrobiologie (Berlin)
Archiv der Pharmazie und Berichte der Deutschen Pharmazeutischen Gesellschaft
Archiv für Psychiatrie und Nervenkrankheiten (Berlin) 20
Archiv für Toxikologie (Berlin)
Arzneimittel-Forschung (Aulendorf)
Atompraxis (Karlsruhe)
Beiträge zur Pathologischen Anatomie und zur Allgemeinen
Pathologie (Jena) 25
Berichte über die Allgemeine und Spezielle Pathologie (Berlin)
Berichte über die Wissenschaftliche Biologie (Berlin)
Biometrische Zeitschrift (Berlin)

* The listed journals were among those received recently by the Department of Health, Education and Welfare, the U. S. Public Health Service, and the National Institutes of Health Library, Washington, D.C.

Chemische Berichte (Weinheim)
Chemisches Zentralblatt (Berlin)
Dermatologische Wochenschrift (Leipzig)
Deutsche Zeitschrift für Verdauungs- und Stoffwechselkrankheiten (Leipzig)
Ergebnisse der Anatomie und Entwicklungsgeschichte (Berlin)
Ergebnisse der Bluttransfusionsforschung (Basel)
Ergebnisse der Inneren Medizin und Kinderheilkunde (Berlin)
Ernährungsforschung (Berlin)
Fortschritte der Augenheilkunde (Basel)
Fortschritte der Chemie der Organischen Naturstoffe (Wien)
Fortschritte der Geburtshilfe und Gynäkologie (Basel)
Fortschritte auf dem Gebiete der Röntgenstrahlen und der Nuklearmedizin (Stuttgart)
Fortschritte der Hals- Nasen- Ohrenheilkunde (Basel)
Fortschritte der Hochpolymeren-Forschung (Berlin)
Fortschritte der Immunitätsforschung (Darmstadt)
Fortschritte der Neurologie, Psychiatrie und ihrer Grenzgebiete (Stuttgart)
Hoppe-Seylers Zeitschrift für Physiologische Chemie (Berlin)
Internationale Rundschau für Physikalische Medizin (Köln)
Internationale Zeitschrift für Angewandte Physiologie Einschliesslich Arbeitsphysiologie (Berlin)
Internationale Zeitschrift für Vitaminforschung (Bern)
Jahrbuch der Max-Planck-Gesellschaft zur Förderung der Wissenschaften E.V. (Göttingen)
Justus Liebigs Annalen der Chemie (Weinheim)
Klinische Monatsblätter für Augenheilkunde und für Augenärztliche Fortbildung (Stuttgart)
Kolloid Zeitschrift (Darmstadt)
Krebsarzt (Wien)
Monatshefte für Chemie und Verwandte Teile Anderer Wissenschaften (Wien)
Münchener Medizinische Wochenschrift
Nachrichten für Dokumentation (Frankfurt am Main)
Naturwissenschaften (Berlin)
Naturwissenschaftliche Rundschau (Stuttgart)
Nuclear-Medizin; Isotope in Medizin und Biologie (Stuttgart)
Österreichische Chemiker-Zeitung
Österreichische Zeitschrift für Stomatologie

47

DIE CHEMISCHEN GRUNDSTOFFE (ELEMENTE)

Ac	Aktinium	Ho	Holmium
Al	Aluminium	In	Indium
Am	Americium	Ir	Iridium
Sb	Antimon (Stibium)	J	Jod
Ar	Argon	Cd	Kadmium
As	Arsen	K	Kalium
At	Astaton	Ca	Kalzium
Ba	Barium	Cp	Kassiopeium
Bk	Berkelium	Co	Kobalt
Be	Beryllium	C	Kohlenstoff
Pb	Blei (Plumbum)		(Carboneum)
B	Bor	Kr	Krypton
Br	Brom	Cu	Kupfer (Cuprum)
Cf	Californium	La	Lanthan
Cl	Chlor	Lw	Laurenzium
Cr	Chrom	Li	Lithium
Cm	Curium	Lu	Lutetium
Dy	Dysprosium	Mg	Magnesium
E	Einsteinium	Mn	Mangan
Fe	Eisen (Ferrum)	Ma	Masurium
Er	Erbium	Mo	Molybdän
Eu	Europium	Mv	Mendelevium
Fm	Fermium	Na	Natrium
F	Fluor	Nd	Neodym
Fr	Franzium	Ne	Neon
Gd	Gadolinium	Np	Neptunium
Ga	Gallium	Ni	Nickel
Ge	Germanium	Nb	Niob (Columbium)
Au	Gold (Aurum)	No	Nobelium
Hf	Hafnium	Os	Osmium
He	Helium	Pd	Palladium

P	Phosphor	Sr	Strontium
Pt	Platin	Ta	Tantal
Pu	Plutonium	Tc	Technetium
Po	Polonium	Te	Tellur
Pm	Promethium	Tb	Terbium
Pr	Praseodym	Tl	Thallium
Pa	Protaktinium	Th	Thorium
Hg	Quecksilber	Tm	Thulium
	(Hydrargyrum)	Ti	Titan
Ra	Radium	U	Uran
Rn	Radon	V	Vanadium
Re	Rhenium	H	Wasserstoff
Rh	Rhodium		(Hydrogenium)
Rb	Rubidium	Bi	Wismut (Bismutum)
Ru	Ruthenium	W	Wolfram
Sa	Samarium	X	Xenon
O	Sauerstoff (Oxygenium)	Yb	Ytterbium
S	Schwefel (Sulfur)	Y	Yttrium
Se	Selen	Cs	Zäsium
Ag	Silber (Argentum)	Ce	Zer
Si	Silizium	Zn	Zink
Sc	Skandium	Sn	Zinn (Stannum)
N	Stickstoff (Nitrogenium)	Zr	Zirconium

————

Wissenschaften entfernen sich im Ganzen immer vom Leben und kehren nur durch einen Umweg wieder dahin zurück.

J. W. Goethe